OHSAMA BUNKO

幸運を呼ぶ「たましいのサプリメント」

スピリチュアル セルフ・ヒーリング

江原啓之

三笠書房

プロローグ

あなたが今、この本を手にしていること。

それこそ、あなたがいつも見守られている証拠です。

私たちは目的を持って生まれてきた存在です。

いいことも悪いことも、うれしいこともつらいことも、すべてがあなたのたましいの向上のために経験すべき「感動」なのです。

ところが、私たちは何かうまくいかないことがあったり、いやなことがあったりすると、それを不幸なことだと決めつけがちです。

そう、人生は楽しいこと、うれしいことばかりではありません。つらいこと、苦しいこともまた、あなたのための貴重な感動なのです。

そうはいっても、体が疲れていたり、心が疲れていたりすると、その感動こそが

「人生の学び」であることに気がつかないものです。

まずは自分自身の心と体を癒し、元気を取り戻しましょう。

ちょっと体を動かしてみてください。バリバリにこわばっていませんか？

心の中をのぞいてみてください。悲しみやイラだちでいっぱいではありませんか？

あなただけではありません。あわただしい現代に生きる私たちはみんな、体も心も疲れやすくなっているのです。

なぜか元気が出ない、笑顔になれない、人にやさしくできない、すぐに体調を崩してしまう……。そんなとき、この本を開いてみてください。

ただし、誤解しないでいただきたいのですが、「本当の癒し」とは、ただ体がラクになる、心がスッキリするというようなものではありません。自分自身のたましいの目的を見きわめ、人生の課題を克服することなのです。

私たちの心（たましい）と体はつながっています。

もし、あなたの体の調子がなんとなく悪いとき、あるいは何かの病気にかかっているとき、それはあなたの心のメッセージかもしれません。

今のこの状況はどういう意味があるのか。常にそう自分に問いかけていただきたいのです。これまでの著書でも何度もくり返し述べてきましたが、「この世に偶然はないのです」。そのことを忘れないでください。

本書に書いたさまざまなテクニックは、魔法ではありません。読むだけで心や体がラクになったり、病気が治ったりするわけではないのです。

まずは、自分自身を内観すること。あなたが自分自身のたましいの目的を見きわめることができたとき、はじめて効果を発揮します。ここに書いたことは、それに気がつくための「たましいのサプリメント」にすぎません。

本書には、特別付録として『夜、眠る前に聴くスピリチュアルCD』をつけました。たましいがくつろいでいく音楽とともに、あなたがガーディアン・スピリットと対話するようになっています。

あなたが自分を内観し、たましいの目的に気づいたとき、本当の安らぎが心と体に満ちてくることでしょう。前を向いて、さらにポジティブに生きようとする気力がわいてくるはずです。

江原啓之

スピリチュアル セルフ・ヒーリング

目次

あなたの「たましい」を癒す4つのサプリメント 65

香り 自分のたましいが感じる香りを見つけてまとえば、感情を上手にコントロールできるようになります。 67

色 元気がないときは暖色系、落ち着きたいときは寒色系を。インテリアにも応用できます。 68

音 「音霊《おとたま》」は意外なほど心の奥深くに染み込みます。自分の心が心地いい音楽を見つけましょう。 70

石 癒し効果だけでなく、マイナスのエネルギーを祓《はら》う効果も。とくに水晶には強いクリーニング効果があります。 71

気持ちいいカラダのための時間

Part 2 カラダが教えてくれるスピリチュアル・メッセージ 75

Part 3 いいエネルギーを補給する時間

Part 4 カラダの不調を整える時間

病気を癒すスピリチュアル・ヒーリング 133

Part 5 眠りながらたましいを喜ばせる時間

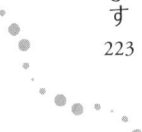

本文イラストレーション　めぐろみよ

幸せなココロのための時間

Part 1

たましいが元気になる スピリチュアル・テクニック

今朝、どんな気分で目覚めましたか？
朝の気分はあなたの心の健康をあらわしています

あなたは今朝、気持ちよく目覚めることができましたか？　「起きなくちゃ」と思いながら、ベッドの中でなんとなくグズグズ過ごしたりしませんでしたか？

そういうとき、ほとんどの人が「体の疲れ」を気にするかもしれません。本当に体の疲れだけが原因なら、問題はないでしょう。ゆっくり休めば、回復します。けれど、寝ても寝てもなぜか疲れがとれないというときは、体ではなく、心が疲れているのかもしれません。

実は眠っている間、私たちのたましいは、故郷であるスピリチュアル・ワールド（霊界）に戻っています。そこで、それぞれのガーディアン・スピリット（守護霊）から、さまざまなアドバイスを得たり、エネルギーを補充してもらったりして、たっぷりと癒されているのです。

ですから、毎朝、パリッと生まれ変わったような気分で、元気いっぱいに目覚めるのが自然な姿です。

けれど現実には、どんよりと重い気分のまま家族のために朝の支度をしたり、会社や学校に行く支度をする。そんな朝のほうが多いのではないでしょうか。

これは現代を生きる多くの人の特徴だと思います。

みんな忙しすぎるのかもしれません。時間に追われ、濁流に飲み込まれるように日々を過ごしていると、体はもちろん、心もどんどん疲れていきます。

しかも、私たちは体の疲れには気をつかって何かしらケアをしようとしますが、心の疲れにはけっこう無頓着です。

けれど、心の疲れこそ、しっかりケアする必要があります。

心が疲れているということは、心の中の愛の電池が切れかかっているのかもしれません。

この心の愛の電池が切れると、ネガティブな思いがわき起こってきます。ですから気分がどうもしゃっきりしない日が続くというときは要注意。ささいなことで腹を立てたり、いつまでも悲しい思いにとらわれたりするようになります。

また、誰かを妬んだり、憎んだりする気持ちが振り払えないときも、心の中の愛の電池切れが原因です。

こうなると、空がくもっているのと同じ状態です。太陽はあるのですが、見えなくなってしまうのです。夜、眠っているつもりでも、心が雲に覆われていますから、たましいがスピリチュアル・ワールドに里帰りすることができません。質の高い眠りが得られず、エネルギーを補充できなくなってしまうのです。

そんなときこそ、愛の電池を充電することで心のケアをしましょう。

まず、私たちは、みんな愛されて生きている存在であることを思い出してください。どんな人でも、愛されてこなかった人はいません。愛がないと生きていけないのが、私たちなのです。

赤ちゃんのとき、おしめを替えてくれた人がいます。ミルクを飲ませてくれた人がいます。それは両親や家族ではなかったかもしれません。幼稚園の先生、近所のおばさん、小学校の友だち……。道で転んだあなたを助け起こしてくれた見知らぬ人もいたでしょう。そんな人たちの中にも、あなたへの愛はあったはずです。

忙しい毎日の中で、私たちは今まで自分が受けてきた愛を、つい忘れてしまったり、

100％の愛だけを求めて、５％の愛を見失ったりしがちです。

もう一度、自分に注がれてきた愛を思い出しましょう。たとえ５％でも、愛は愛です。その事実をかみしめてください。

そのためには、アルバムを見直してみるのもいいでしょう。幼い頃からあなたを見守ってくれた人たちの姿が、そこにしっかりと残っているからです。あなたがうれしいときはともに喜び、悲しいときは慰めてくれた人たちの顔を、思い浮かべてください。また、久しぶりにそういう人たちに連絡をとって、話をしたり、食事をしたりして、温かい時間を過ごしてみるのもいいでしょう。

そんなふうに愛の電池を少しずつ充電していけば、心の疲れは自然と解消されます。そして、明日の朝は、きっとさわやかに目覚めることができるはずです。

なんだか元気が出ないと感じるときの処方箋

↓昔のアルバムを見る

あなたの大切な人の顔を思い出してください
すぐに誰かの笑顔が浮かんできますか？

目を閉じて、あなたの愛する人の顔を思い浮かべてください。

恋人でなくてもかまいません。友人や家族でもいいのです。「好き」と思える人が、何人出てきたでしょうか。

誰の顔も思い浮かばなかった人も、いるかもしれません。好きな人がいない。情熱的に誰かを思うことができない。これも、実は心が疲れていることを示すサインのひとつです。

人は心が疲れると、自分以外のことを考える余裕がなくなりがちです。愛とは、自分以外の人のことを、自分と同じか、それ以上に大切に思うこと。疲れているときには、それがなかなかできなくなってしまうのです。

大切な人の顔をすぐに思い浮かべることができないときは、意識してゆったりとした時間を持ちましょう。ひとりで音楽を聴いたり、映画を観るのもおすすめです。歌や映画には、人を愛する気持ち、人と別れるつらさ、淋しさがしみじみと表現されているものが多くあります。小説でもいいでしょう。それらに触れると、次第に心のこりがほぐれてきます。昔好きだった人のこと、その人とつきあっていたときのときめく気持ちを思い出すこともできるのです。

これは、いわば日常の中でさびついた心のリハビリテーションのようなもの。そういうメンテナンスは、どんな人にも必要なのです。

ただし、「人を好きになれない自分」を正当化しないでください。

人を好きになれない理由は、疲れだけではありません。たましいが幼いということもあります。

よく、すぐに欠点に目がいって、人を嫌いになってしまう人がいます。これは、実はコンプレックスの裏返しであることが多いのです。私たちは自分が克服できていない欠点を相手も持っているとき、それをどうしても許せないと感じてしまうのです。つまり、相手ではなく、自分が嫌いなのです。

「あの子はすぐ自慢するから嫌い」「言葉がきついから嫌い」と理由をつけては友だちや恋人と別れた経験のある人は、一度よく自分の心を振り返ってください。それは、もしかしたらあなた自身の中にも見え隠れする欠点でもあるかもしれません。

もし自分が頑張ってその欠点を克服していれば、相手に対しても寛大になれるはずです。「私も昔はそうだった。この人は今から克服するんだな」と、広い心で見ることができるのです。

そして、相手の欠点より長所のほうを見ることができるようになれば自然と「好き」という温かい感情はよみがえってきます。

たとえば、子育て中のお母さんでも、自分が小さい頃からグズだといわれてきて、それを気にしている人は、自分の子どもがグズなのが許せません。でも「グズでもOK。のんびりしていて、いいじゃない」と自分を認めてあげられれば、子どもを受け入れ、愛することができるようになります。

これは、自立した大人になるための、ひとつのステップでもあります。

「どうしてもダメ。許せない」と思ってしまうとき、とっておきの方法があります。それは高層ビルの展望台に上ってみること。高層ホテルの最上階でもいいでしょう。神様になったつもりで、高いところから、街を見下ろしてみてください。そこにはさまざまな人が暮らしています。みんなそれぞれ短所と長所を持ち、泣いたり笑ったりして生きています。

神様は「こいつは気が短いから嫌い」「あいつはずるいからいやだ」などと考えるでしょうか。いいえ、どんな人にもやさしいまなざしを注ぎ、欠点を許し、よりよい人間になれるよう見守ってくれる、それが神です。

そして、あなたもまた神に許され、愛されている存在です。

と同時に、あなた自身の中にも、神はいるのです。

広い心で人と接するとき、あなたの心の奥にいる神が目を覚まします。その神のやさしさに、あなた自身が癒されるのです。

心に余裕がなくなっている人への処方箋

↓高層ビルの展望台に上る

必要以上に人の目を気にすると心がだんだんしぼんでいきます
自分の「感じたこと」に忠実に行動していますか?

一度、この本を閉じて、腕を上にあげ、大きく伸びをしてみてください。力を抜いて、首をゆっくり回してみましょう。肩に入っていた力が抜けて、フーッとリラックスできましたか? それと同じように、心にもときには伸びをさせてあげる必要があります。

というのは、私たちの心は知らず知らずのうちに縮こまってしまうからです。

それは、「人の目」「世間の目」が原因であることが多く、「私はどう見られているだろう」「どう評価されているだろう」というような思いに縛られてしまい、心が萎縮してしまうからです。すると、本来持っている、いきいきとした力を失います。

だからといって、人目をまったく気にしないで生きるのは難しいでしょう。ある程度は気にしなければ社会生活を送ることはできません。けれど必要以上に気にしすぎると、たましいは本来の自分らしさを見失って、息切れしてしまうのです。

人からよく見られたい。高く評価されたい。それは、誰もが心の中に抱く思いです。その思いに縛られると、いつも人に対して「いい顔」をしようとしてしまいます。すると、NOがいえなくなったり、心にもないお世辞をいってしまったり。

洋服を選ぶときも、本当に自分の好きなものではなく「みんなが着ているから」「流行だから」という理由で選んで、安心するようになります。流行を意識するのは、悪いことではありません。けれど、好みではないのに流行だからと服を買い揃えても、本当は楽しくないのではないでしょうか。

そんなふうに人の目を気にして努力して、たとえ「素敵な人」と評価されたとしても、その満足感はおそらく一時的なものでしょう。今度はまた別の人の目が気になります。世間は気まぐれですから、それに合わせようとすればイタチごっこです。たましいの安息は得られません。

基本は自分です。あなた自身がどう思っているのか。あなたのたましいに嘘をついていないか。

それを基準にして生きるほうが、ずっとラクなのです。

もしそれができないとしたら、あなたは「失うこと」を恐れているのかもしれません。自分の好きなことをしたり、ひとりみんなと違うことをすれば、笑われたり、嫌われたりする。ひとりぼっちになるかもしれない。そんな恐れが心のどこかにあるはずです。

あなたが自分のたましいの声に素直にしたがったことで、離れていく人がいるかもしれません。けれどそれは、波長が違うから離れただけにすぎません。

また、離れていく人がいる一方で新しい人との出会いも必ずあります。あなたが喜びに満ちて、いきいきと毎日を過ごしているなら、その高い波長とひきあう人が必ずあらわれるでしょう(波長の法則)。また、あなたの思い、言葉、行動が、本当に愛と思いやりに満ちあふれていれば、あなたも同じように、人に愛されるのです(カルマの法則)。

このふたつのルールを覚えていれば、恐れることは何もありません。

人の目を気にして、外面ばかりを気にするのではなく、自らが輝きを放つこと。そうすれば、ひとりぼっちになることは決してないのです。

もちろん、職場などのパブリックな場では、その場の雰囲気を読んでうまく合わせることも必要です。本当の自分のたましいを見失うことなく、きちんと割り切りましょう。

くり返しますが、あなたには、持って生まれた、あなただけのすばらしさが必ずあります。それを信じ、それを受け入れて、磨いていってください。

他人や世間がどう思うかは、二の次、三の次――そんなふうに考えるくらいでちょうどいいのです。まず、あなた自身があなたを評価することが大切です。

何かに思いを縛られ、心が縮こまっているなと感じるときは、次の方法を試してみましょう。

夜、眠る前に、おへその少し下にある丹田というツボに両方の手のひらを当ててください。丹田のパワーが弱いと、人に振り回されたり、なんとなく不安になったりします。手のひらから出るオーラ・パワーで、それを補うのです。同時に、念を込めることも大切です。「人に振り回されず、のびのびと生きる力を与えてください」とガーディアン・スピリットに祈ってください。

また、あらためて自分が本当に好きなことを見つけるために、拙著『〝幸運〟と〝自分〟をつなぐスピリチュアル・セルフカウンセリング』（三笠書房《王様文庫》）を使ってみてください。きっと新しい発見があるはずです。

そうやって少しずつ、本当の自分を取り戻しましょう。やがて大きく伸びをしたときのように、心がリラックスしてくるのを感じるはずです。そうすれば不安や脅えがなくなり、本当にあなたらしい笑顔で歩いていけるようになるのです。

人の気持ちに敏感になりすぎている人への処方箋

↓おへその少し下にあるツボ（丹田）に手を当てる

ときどき無性に淋しい気分になってしまう……
そんなとき、あなたはどう解決していますか？

どんなに元気に見える人でも、ふと淋しい気持ちになることはあります。誰かと話したくて電話をしても、たまたまみんな留守だったとき、あるいは何も予定のない日曜日、なんとなく空しいような、頼りない気持ちになるのではないでしょうか。

できれば、そんな気分は味わいたくない、という人もいるかもしれません。けれど、「淋しい」という感情を、マイナスとだけとらえるのはやめましょう。淋しさを味わうのも人生の課題のひとつ。淋しい思いを経験するからこそ、人の淋しさを理解できるようになるし、孤独を感じている人に寄り添うこともできるようになるのです。

ただ、忘れてほしくないのは、本当にひとりぼっちで見放されている人は、この世のどこにもいないということ。どんなときでも、あなたのガーディアン・スピリットは、あなたを見守っているのです。そして、あなたのたましいの成長をサポートしてくれているのです。

そのことを忘れると、いたずらに淋しさが募り、そこから逃れることだけを考えるようになるでしょう。

大丈夫。あなたは絶対にひとりではありません。いつも見守られているのです。そのことを胸にしっかり刻んでおいてください。

そして、いつまでも淋しい気持ちに浸っていてはいけません。

むやみに淋しくなるのは、物質的なものに恵まれすぎているためでもあるのです。たとえば戦争やテロの恐怖に脅え、食べるものもなく、寒さに震えているとき、人は「淋しさ」を感じません。それ以前の、生存できるかどうかのギリギリのところにいるからです。そういう意味で、淋しいという気持ちは、贅沢なものといえるかもしれません。

どうしても淋しくてたまらないときは、思い切って自分から行動することも大切です。外の世界を見て、人と出会い、ふれあって、さまざまな人生を生きている人がいることを実感してください。

そのきっかけのひとつになるのが、ボランティアです。

ボランティアというと身構えてしまいがちですが、街で道を教えてあげるのも、ボランティアです。エレベーターでほかの人のためにドアを開けて待っていてあげることもそうです。自分以外の人のために何かをするとき、少しの間ですが、あなたの心の中から淋しさは消えているのではありませんか？

老人ホームでの一日介護や目の不自由な人のための朗読ボランティアなど、今は本当にさまざまなボランティアが、さまざまな場所で活躍しています。無理をせず、自分にできること、得意なことを生かせばいいのです。図書館やインターネットで情報を検索すれば、できることがすぐに見つかるでしょう。

そうやって人の中に出ていって、自分が人の役に立てるということを実感できたとき、大きな喜びが生まれます。そして、ボランティアが「弱い立場の人に何かをしてあげる」という傲慢な行為ではなく、自分自身の成長と感動のためであることが、理屈ではなく、わかるはずです。

私も今年から老人ホームでコンサートを開くという活動を始めました。「むすんでひらいて」など、おなじみの歌を歌ったとき、聴いてくださる人の顔がパーッと明るくほころびます。その笑顔に、私自身が癒され、また明日も頑張ろうという意欲がわいてくるのを感じます。

なんとなく淋しい……。その気持ちをきっかけにして、ぜひ新しい世界の扉を開けてみてください。人生の新しいステージが始まるかもしれません。

ひとりぼっちだなと感じて淋しくなるときの処方箋

↓世界中のいろんな国の人のことに思いを馳せる

誰かのちょっとした一言に腹を立てたりしていませんか？ イライラするのには、こんな理由があるのです

心が疲れていると、何気ない相手の一言にカチンときます。

いつもなら気にならないことにもイライラして、文句をいいたくなったり、逆に冷たく無視してしまったり……。

やさしい気持ちでいたいなら、言霊《ことたま》を上手に使いましょう。

相手に自分の今の状態や、してほしいことを、きちんと言葉で伝えるのです。すると不思議と人に対してイライラする気持ちは起こらなくなります。

「私は今日、とても疲れているの。だからあなたに甘えたい」

「悲しいことがあったんだけど、話を聞いてくれる？」

そんなふうにありのままの心を言葉にしてください。

そのとき、「何かをしてくれて当たり前」という態度ではいけません。愚痴を聞いてほしいとき、疲れて休みたいときは、「お願いできる？」とていねいに頼んでみま

しょう。そして、相手があなたの気持ちを理解して、やさしくしてくれたら、「ありがとう」という感謝の言葉も忘れずに。

やさしい気持ちでやさしい態度をとれば、相手もやさしくしてくれます。相手のその態度でまたあなたも癒されるのです。イライラして当り散らせば、相手も同じようにするでしょう。

自分が今、イライラしているな、と思ったときは、お風呂に入るのもいい方法です。毛穴を開いて、体内にたまった汚れたエクトプラズム（84ページ参照）を発散すれば、ずいぶん気分が変わります。お風呂からあがる頃には、もうイライラした気分ではなくなっているでしょう。

日常的にイライラしやすい人は、部屋の中に、きれいな花や観葉植物を絶やさないようにしてください。植物には、人を癒すパワーがあります。美しく咲く花は、あなたの気持ちにうるおいとやさしさをよみがえらせます。

花がすぐに枯れるときは、部屋の中にいる人の気が荒かったり疲れていたりします。そのマイナスの気を吸って、花は枯れてくれるのです。枯れた花はかわいそうに思いますが、その使命をまっとうしたのですから、「ありがとう」という気持ちを込めて捨てましょう。そしてまた次に新しい花を買ってきて、飾ってください。
そんな心配りをしているうちに、あなたが本来持っている温かさ、やさしさを、必ず取り戻せるでしょう。

イライラするときの処方箋
↓部屋の中にきれいな花を飾る

最近なんだか迷うことが多くなっていませんか？
心に「手放す勇気」が欠如しているのかもしれません

たとえば、とても素敵だけれど、値段も高い洋服を見つけたとき、「買いたい」「でも高い」「どうしよう」と迷いに迷うときがあります。もっと安く売っている店はないかと探したり、一晩考えてみようと時間を置いたりします。

私も、そんなふうに迷っているうちに、売れてしまって、ガックリ肩を落としたことが何度かあります。そのときの虚脱感、疲労感は大きいものです。

人生の中でも、どちらを選べばいいのか、結論が出せなくて、堂々めぐりをしてしまうことはときどきあります。すっぱりと決断できればどんなにいいかと思いつつ、決められないことが多いことでしょう。

洋服の例でいえば、欲しい服を手に入れるためには、絶対に出費は必要です。

そのお金は「あきらめる」と心を決めなくては、欲しい服は手に入りません。

反対に、どうしてもお金を出したくないなら、服を「あきらめる」ことが必要なのです。洋服もお金も、両方を欲しいと思ってしまうと、心は迷い、堂々めぐりを始めます。

どちらかを「あきらめる」ということ。それを学ぶのは、とても難しいことです。あきらめは、痛みを伴います。だからといって、あきらめずに執着すると、次第に心は疲れていきます。

洋服ぐらいのことならまだしも、人生のもっと大きな分かれ道、たとえば結婚や転職で迷うとき、恋に苦しむとき、どちらの道を選ぶか、どちらをあきらめるのか、決断できないと、心は消耗してしまいます。

たとえ苦しくても、どちらかを手放す勇気が必要なときもあるのです。

ただ、今がそのときかどうか、なかなか見極められません。今、手放して、あきらめるべきなのかどうか。決断できずに、迷ってしまうものなのです。

けれど、答えはすでに自分の中にあります。

それを見つければいいだけなのです。

たとえば、日記を書いてみるのもいいでしょう。文字にすることで、気づいていなかった自分の気持ちが不思議なほど整理されて見えてきます。

あなたのたましいが、本当に望んでいることは何か。できる努力はすべてしてきたか。今、選ぶべきはどの道か。飾らない、素直な気持ちで、自分自身に問いかけるように、書いてみてください。

スムーズにことが運ばない、ということ自体があなたへの答えの場合もあります。うまくいくことなら、何の障害もなく、トントン拍子に運ぶものです。そうでないなら、それは、たましいにそぐわないことか、あるいは、今はその時期ではない、本当にあなたにふさわしい道は別にあるというメッセージなのです。

冷静に自分を見つめれば、そういうことがわかってきます。

また、ときには神社や教会などに行って、自分と向きあってみてください。それらの場所はいわゆるパワースポットで、強い「気」の流れがあります。

そこで一心に祈ってください。強いパワーのある場所では、ガーディアン・スピリットとつながりやすくなります。「私のたましいが、より豊かになるための道を教えてください」と真剣に問いかければ、さまざまな形でメッセージがおりてきます。それは、たとえば、そのときにひいたおみくじに書いてあったり、偶然、耳にした人の話の中に、ハッとするヒントがあったりします。

ただし、それは自分で十分に考えたうえでのこと。甘えた気持ちで「答えを教えてください」と頼んでもダメです。依存心を捨て、自分で結論を出したうえで、「この道でいいでしょうか」と謙虚にたずねてみてください。

そのとき、曇り空が晴れるように、あなたを悩ませていた問題がクリアになり、進むべき道が見えてくるでしょう。

答えがなかなか出ないときの処方箋

↓日記をつけてみる

鏡はあなたの心を正直に映し出します
「いい顔」で今日一日過ごせましたか？

朝、鏡を見たとき「あ、いい顔」と思える日は、一日、気分がいいものです。けれど、「なんだか今日は顔色がくすんでる」というときもあるでしょう。疲れがたまって、目の下にクマができている。前日、飲みすぎて、顔がむくんでいる。先にも書きましたが、そういう肉体の疲れが原因なら、ゆっくり体を休めれば元に戻ります。

けれど、顔がくすんでいるとき、その理由が心の疲れである場合もあるので、気をつけてください。鏡は肉体だけでなく、私たちの内面をも映し出すのです。

誰かを憎んだ、むやみに腹を立てた、嘘をついた、傲慢なふるまいをした。そんなとき、鏡の中のあなたの顔はくすみます。

とりわけ、誰かを「妬ましい」と思う気持ちは、心を疲れさせ、顔をくもらせます。素直な気持ちで、自分の心を振り返ってみてください。

たとえば、あなたが誰かのことをうらやましいと思うとき、その理由は何でしょうか？　あの人には素敵な恋人がいる。あの人は高級ブランドの洋服をいつも身につけている。そんな理由でうらやましいと思っていませんか？

けれど、それらはすべて「物質」です。

「あの人のりっぱな人格がうらやましい」という気持ちなら自分を向上させることができます。

ところが、物質に振り回されていると、人が妬ましくなります。

そんなときは、少し見方を変えてください。うらやましいと思う相手の「影の部分」に目を向けてみればどうでしょう。

光と影は表裏一体です。この世には幸運だけの人も不運だけの人も存在しないのです。

たとえば、友だちが仕事で大きな成果をあげたとき、ただうらやましがるだけでなく、その裏でどれだけ努力してきたのか、ということを考えてください。

ひとつの仕事が成功するまでには、多くの失敗もあったはずです。そういう影の部分を見るようにすれば「妬ましい」という思いはわいてこないものです。

うらやましいと思う相手がいるならチャンスです。その人から学べるところはたくさんあります。「あの人のいいところを見習いたい」という謙虚な気持ちで接していけば、そのプラスのエネルギーが、あなたの波長を高めます。

そして、忘れてほしくないのは、人は誰でも必ず「うらやましい」と思ってもらえる部分があるということです。今、自分が何をしたいのか見えなくて焦っている人にも、何も誇れるものがないと不安に思っている人にも、必ず「いい部分」があるのです。たとえば、何をしたいのか見えなくて漫然と過ごしている人は、逆にいえば自分の自由になる時間をたっぷり持っているということです。その時間を使って、ゆっくり散歩をしたり、本を読んだり、未来に夢を描いたりしましょう。

あなたの中に眠っている素敵な何かが動き出すはずです。それを見つけて生かしていきましょう。そんなふうに純粋でポジティブな心を取り戻したら、もう一度、鏡を見つめてください。昨日よりきれいになったあなたがいるはずです。鏡は、そんな自分を見つけるためにあるのです。

表情がなんとなくくもっていると感じたときの処方箋
→素敵に輝いている人の陰の努力に注目する

引っ込み思案には、二種類あるのを知っていますか？

世の中には、積極的に人前に出ていきたい人もいれば、どんなにすすめられても出る気になれない人もいます。これはよし悪しの問題ではありません。それぞれのたましいの性質、個性の違いです。

しかし世間には、「消極的イコール悪いこと」「積極的イコールよいこと」という暗黙の価値観があります。だから自分を「引っ込み思案」だと思う人は、「どうしてもっと積極的になれないんだろう。私ってダメね」と自分を責めてしまうこともあるかもしれません。

私も実は引っ込み思案です。仕事でなければ舞台に立ちたいと思いませんし、子どもの運動会もしぶしぶ参加しています。親子で出場する競技などは、子どものためと思ってやりますが、それ以外は積極的に出たいとは思いません。もっと積極的に人前に出て、さっさと取り組めば、そのほうがラクなのに、と思うこともよくあります。

けれど、これは持って生まれた性質ですから、仕方がありません。引っ込み思案は決して「悪いこと」ではないのです。青が好きか、赤が好きかという違いだけ。人前に出るのが好きな人は楽しそうに見えますが、そうでない人にも、ひとりの楽しみがあるはずです。人からどう見られるかを気にして、自分を責める必要などありません。たましいの性質に合った、自分の好きな生き方をしてください。

ただし、人生において、何かに挑戦しようとしているとき、迷って二の足を踏んでしまう、思い切って行動に出られない、こういう引っ込み思案になると話は別です。たとえば留学したいと思っているのに、踏ん切りがつかない。好きな人がいるのに、告白できない。そういう大切な場面で引っ込んではいけません。人生は永遠ではないのです。立ち止まっているヒマはありません。挑戦することから逃げていれば、何も手に入れられないまま終わってしまいます。

留学したいなら、してみましょう。好きな人がいるなら、告白しましょう。あなたの人生です。あなたが舞台に上がらないと始まりません。

主役のいない舞台なんて、考えられないでしょう。これは、どんな性質のたましいを持つ人にもいえること。本当にやりたいことは、誰に何をいわれてもやる。その勇気が、人生に充実と輝きを与えてくれるのです。

引っ込み思案のクセが、大切な場面でも出てしまう人は、思い切って、ひとり旅に出てみるといいでしょう。自分の行きたいところへ、自分で計画を立てて行ってみてください。頼る人は誰もいません。いやでも自分で行動し、自分が主役にならざるをえないのです。そんな練習をしてみてください。

人生という旅も、まったくそれと同じなのです。

やりたいことを思い切ってやる強さが欲しいときの処方箋

↓ひとり旅に出る

すべてを自分の力でなんとかしようとしていませんか？
頑張ったあとは、天にゆだねる気持ちが大切です

ずいぶん前から「ポジティブ・シンキング」がもてはやされています。

「ポジティブでないといけない」と思い込んでいる人もいるかもしれません。確かに、人生に前向きに取り組むことは大切です。

けれど、この言葉の意味を間違ってとらえると、ますます疲れたり、落ち込んだりすることになりかねません。


ポジティブという言葉は、かなり誤解されているように思うのです。

ポジティブに生きるとは、ガツガツと成功や幸福を求めて突き進んでいくことではありません。喜びを持って生きることです。

自分のしている仕事、生きている環境、周囲の人々に対して、喜びの心で接することなのです。


本当に成功している人をよく見てください。決して「自分の力で成功した」とは思

っていません。ただ、自分が好きなことを、喜びを持ってやらせてもらった。だからつらくても頑張れた。そこにまた喜びが生まれた。それだけのこと。そう考えています。だから、成功したからといって傲慢にはなりません。ただ感謝の心が生まれるだけなのです。

喜びがあるから、結果として成功がついてくるのです。成功を求めて、何かをしてきたわけではありません。

この順番を間違えてしまうと、人は人生の迷子になってしまいます。「自分の力で成功してみせる。自分にはできる」という考え方で生きていると、やがて必ず不安になります。試練が訪れたとき、「私はできるはずなのに、どうしてできないんだろう」と落ち込むことになるのです。

それはデパートの中で迷子になった子どもと同じです。子どもは「自分の力で歩いてみせる」と思って、親の手を離します。そして、人ごみにまぎれて迷子になって、泣き出すのです。

私たちが何かで苦しんだり、落ち込んだりするときは、この迷子の子どもと同じ状態です。がむしゃらにひとりで頑張ろうとするから、息切れするのです。

迷子になったら、もう一度、見守ってくれる父と母を探しましょう。

それは甘えることではありません。「天にゆだねる」ということです。

本当に成功している人は、「天にゆだねる」ことを知っています。

自分の力だけでここまで来たのではないのだから、「まあ、いいか」「なんとかなる」と思えるのです。無駄に苦しむことがありません。

事実、私たちは、みんな神に見守られているのですから、それを思い出せばいいだけなのです。そして、本当に好きなことに、喜びを持って取り組もうとする純粋な気持ちを取り戻してください。

それこそが、ポジティブ・シンキングです。そのとき、私たちの心が疲れることはありません。苦しいことがあっても乗り越えられます。

神と手を離しているか、つないでいるか。それによって、人生はずいぶん違ってくるのです。

行き詰まって、心が疲れたなと感じるときは、「まあ、いいか」「なんとかなる」と、唱えましょう。

簡単な言葉です。でもその言霊が神を呼び寄せます。見守られている安心感と、忘れていた喜びがよみがえります。ぜひ試してみてください。

ポジティブな気分になりたいときの処方箋

↓「まあ、いいか」という言霊を使う

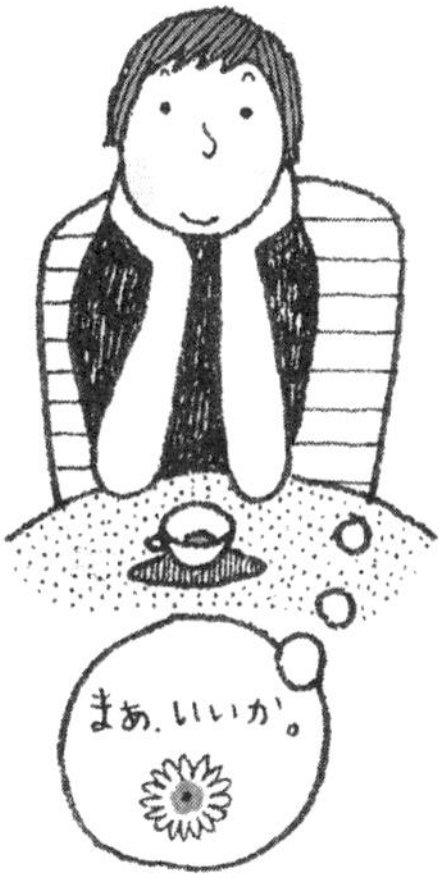

心から楽しんで毎日を過ごしていますか？
「たましいの目的」を見失うと、それができなくなります

なんとなく意欲がわかない、楽しいと思えることが少なくなった、何のために生きているのかわからない……。

そんなときにも、思い切ってひとり旅に出てみましょう。

ひとりで旅に出ると、今までの人生について考えたり、自分の本当の心を内観する時間を持つことができます。今、自分が何に疲れているのか、これからどうしたいのか、じっくりと考えることもできるのです。

友だちとワイワイ騒ぐ旅も楽しいものですが、心が疲れているときには、かえってその疲れが増してしまうことにもなりかねません。できればひとりになって、自分自身と向きあいましょう。それが、心身の疲れを芯から癒す近道です。

行き先には、自然の豊かな場所を選ぶといいでしょう。カルチャーイベントが豊富な都会に旅をすると、外部からの刺激が多くなりすぎます。

できれば、パワースポットと呼ばれる地球のエネルギーが強い土地を巡るのが一番です。ハワイやバリ島などは有名なパワースポットで、エネルギーが強く、インスピレーションを受けやすいことでよく知られています。

もちろん、日本にもパワースポットはたくさんあります。日本人には、日本のエネルギーが一番肌に合うはずですから、そういう場所を大事にしたいものです。

とりわけ、神社には、強い「気」が満ちています。旅に出たときは、ぜひ神社に立ち寄ってください。

日本は神々の国ですから、もともと神のエネルギーが強いのです。本当にご神霊が宿っている神社には、独特の雰囲気があります。そういう神社の境内で1時間も過ごせば、体が内側から浄化され、パワーがみなぎるのがわかるはずです。

自分のたましいの目的を見失ったときの処方箋

↓自然あふれるパワースポットに行く

column

スピリチュアル・ワールドからの答えを受けとる神社のお参りの仕方

旅先で神社に行ってはみるけれど、本当の祈り方、お参りの仕方がわからない、という人は多いようです。

神社でお参りをするときには、まず、あなた自身のガーディアン・スピリットに祈るようにしてください。なぜなら、人間が祈る波長と、神社のご神霊の波長は違いすぎるので、直接には祈りが届かないからです。ガーディアン・スピリットに仲立ちしていただく、というつもりでお参りしてください。

お参りするときは、「二礼二拍手一礼」が正しい方法です。

まず2回、深く頭を下げてお辞儀をし、2回、柏手《かしわで》を打ちます。心の中で願いを唱えたあと、最後に一礼してください。

なぜ2回お辞儀をするかというと、1回めはガーディアン・スピリットにあいさつし、2回めはご神霊にあいさつするという意味があるのです。

柏手をパンパンと2回打つのは、「お邪魔します」という意味で、いわば玄関でチャイムを鳴らすようなもの。これからお願いごとをする前に、こちらに気づいてもらうためのあいさつです。

柏手には、その音霊《おとたま》によってその場を清めるという意味もあります。

柏手を打つときは、きれいな音が出るように心がけてください。そのときにどういう音がするかは、その場のエネルギーのよし悪しを判断するモノサシにもなります。エネルギーが強い神社、いい気の流れている神社では、すばらしい音になります。

お辞儀と柏手であいさつをしたら、次にお願いごとをします。

そのとき「仕事がうまくいきますように」「健康でありますように」「金運がよくなりますように」などと実利的なことを願いたくなりますが、「私が今、こうして生かされているたましいが、喜びも苦しみもすべて受け入れ、豊かに成長することができますように」という祈り方がいいでしょう。

そうすれば、その祈りは必ずあなたのガーディアン・スピリットと、神社のご神霊に伝わります。

最後に一礼してお参りを終えたら、おみくじを引きましょう。

おみくじは、ガーディアン・スピリットとスピリチュアル・ワールドからのメッセージです。

「今、私のたましいに必要なメッセージをお与えください」という念を込めて引きます。大吉か凶かはあまり関係ありません。大切なのは、その下に書いてある文章です。それを注意して読んでください。それこそがあなたへのメッセージなのです。

お参りするのは、できれば朝日が昇ってから午後2時、3時ごろまでにして、夕暮れどきは避けたほうがいいでしょう。なぜなら、夕暮れどきからは、幽界時間に入るからです。ただし、夜の神社のお祭りや初詣など、特別な祭事のときは例外ですから、夜にお参りしてもかまいません。

パワーのある神社かそうでないかを見分けるには、古くからの伝統を持っていて、そういう神気が感じとれるかどうかを、ひとつの目安にしてください。

エネルギーの強いところは、そこにいるだけで気持ちが引きしまります。

たとえば、奈良県の大三輪《おおみわ》神社はエネルギーがとても強いのですが、温かい感じもするお宮です。それと対照的に、石上神宮《いそのかみ》は暗い感じなのですが、非常に鋭くてすぐれたエネルギーを持っています。ここは、昔から霊能者がお参りすることで有名です。

旅のついでに神社に立ち寄るのではなく、最初から神社にお参りすることを目的に旅をするのもいいでしょう。とくに神の国・伊勢や、奈良、出雲、九州にはエネルギーの強い神社が数多くあります。

まずは、あなたの部屋を見直してみましょう
忙しすぎて、「自分の生活」をおろそかにしていませんか？

あなたは部屋をいつもきれいにしていますか？

仕事や勉強などで忙しいと、つい掃除が後回しになってしまいます。けれど、部屋の掃除をおろそかにしていると、疲れはますますたまってきます。あなたが暮らす部屋と、あなたの心身はつながっているのです。

掃除の時間は心を振り返る時間。心の掃除をする時間だと考えてください。よく「部屋を見るとその人がわかる」といいますが、スピリチュアルないい方をすれば、部屋を見ると、そこに住む人のたましいの状態までわかるのです。

ゴチャゴチャと、ものがたくさん置いてある部屋では、その人自身の気持ちも整理できていません。反対にスッキリした部屋、温かみを感じさせる部屋にいる人は、たましいもスッキリとしていて温かいのです。

逆にいえば、部屋をスッキリと片づいた状態にすることで、気持ちも整理できて、

温かい、心地いい気分になれるということです。

ですから忙しいとき、また、疲れてイラだっていると感じるときほど、いつもよりていねいに部屋を掃除してみましょう。その効果にきっと驚くはずです。

また、掃除は、ほこりや汚れをとるためだけにするのではありません。部屋にバリアを張り、悪いエネルギーが入ってこないようにする意味もあります。ほうきや雑巾を持ち、自分の手を使って掃除をすると、自分のオーラが部屋のすみずみまで付着します。そのオーラがバリアとなって、部屋を守ってくれるのです。それが結果的に、自分自身を守ることにもつながります。

格式のある料亭や旅館に行ったとき、「あまりウロウロできないな」と感じることはありませんか？　それは、すみずみまで掃除が行き届いていて、女将さんはじめ従業員のエネルギーが満ちているからです。

逆に、汚れている部屋では、平気で動きまわれます。それはやはり、人のエネルギーが付着していないからです。バリアが張られていないのです。

そういう部屋には、悪いエネルギーも入りやすいですから、そこで暮らしていると、疲れがたまります。

毎日、掃除をするのが理想ですが、忙しい人は、休日にまとめて、ということになるかもしれません。掃除がどういう意味を持っているかをきちんと理解していれば、それはかまいません。また、月に一日ぐらい「浄化の日」を決めて、朝から晩まで掃除をする機会を持ってください。

部屋中に掃除機をかけ、お風呂場をピカピカにし、洗濯をして、ベッドメイキングをしてみましょう。そして夕食は、自分へのごほうびとして、いい食材を買ってきて、ゆっくり料理してみてください。それが面倒なら、お気に入りのレストランに行きましょう。その日だけは特別です。

夜はピカピカになったお風呂で、ゆっくりとリラックスして心と体の汚れをとり、最後にメディテーション（瞑想）をして（本文庫の付録『夜、眠る前に聴くスピリチュアルCD』などは最適です）、眠りにつけば心身ともに疲れは溶けて消えていきます。これは、家にいながら、旅行に行ってリフレッシュするのと同じです。

旅に出て、神社でお参りをし、自然のごちそうをいただき、マッサージをしてもらって眠る、そういう楽しみの「日常版」と思ってください。

月に一日、こういう日をつくることで、心にエネルギーが充塡されていきます。こんな一日があると、翌日からの気分が違います。
まず、とびきりのいい笑顔で朝のあいさつができるでしょう。仕事や勉強もはかどり、生き方まで変わってくるかもしれません。たかが掃除とあなどらず、ぜひ実行してみてください。

忙しすぎて余裕がないときの処方箋

→自分の部屋をきれいにする

あなたの「たましい」を癒す4つのサプリメント

仕事のことや人間関係のこと、恋愛のこと、毎日さまざまなできごとがあり、ワクワクしたり、逆に落ち込んだりします。

そういうとき、悩みが多い人は「つつがない人生を」と望みます。けれども私たちは、感動するために生まれてきているのです。

うれしい気持ちばかりを感動だと思ってしまいがちですが、悲しい気持ち、つらい気持ちも大切な感動です。そこから得るものは、はかりしれないのです。

とはいっても、私たちはみんな落ちこぼれた天使です。

心が弱くなったり、考え方が後ろ向きになったりすることはあるでしょう。そういうときに役立ててもらいたいのが、これから紹介する「たましいを癒すサプリメント」です。香り、色、音、石などは、どれもエネルギーを持っています。

ただし、これらは、薬のような効果を期待するのではなく、暮らしを楽しみ、心を元気にするサプリメントとして、上手に利用するといいでしょう。

香り……（自分のたましいが感じる香りを見つけてまとえば、感情を上手にコントロールできるようになります。）

ラベンダーやユーカリなどのアロマ、日本のお香など、「香り」は今、癒しグッズとして注目を集めています。

実はスピリチュアル的に見ても、香りには癒しのエネルギーがあります。芳しい香りをかぐと、その瞬間、安らかな思いが胸を満たすでしょう。何か懐かしいような切ないような気分がよぎるかもしれません。それが香りのパワーです。

香りの種類によって、いろいろ効能が分かれているようですが、それにとらわれる必要はありません。「あ、この香り、好き」「この香りをかぐとリラックスできる」といった自分自身の感覚を信じて、選んでみましょう。

最初はよくわからないかもしれません。けれど、試していくうちに、自然と自分のたましいの質（霊質）に合ったものを選べるようになるでしょう。たとえば、「私はせっかちで、いつもテンションが高い」という人は、落ち着く香りに、「私はすぐに気分が沈んで、クヨクヨしやすい」という人は、気分が高揚する香りに、自然と手が伸びるものなのです。

あなたにフィットする香りを選んだら、それを机の上に置いて、疲れたときに取り出してみましょう。バスタイムのときに、湯船に一滴たらしてもいいですね。

会社に行くときに、元気の出る香水をさりげなく身にまとうのも効果的です。仕事の効率があがるかもしれません。

ただし、外で使う場合は、香りの量に気をつけて。

自分にとってはいい香りでも、人にとっては違う場合もあります。周囲の人はなかなか気づかない、けれどかすかに漂うというぐらいの香りが素敵です。

「この香りは私の香り」という香りがあると楽しいもの。そんな楽しさで暮らしを彩ってみてください。

色……（元気がないときは暖色系、落ち着きたいときは寒色系を。インテリアにも応用できます。）

色にはエネルギーがあります。

たとえば、赤いハンカチを一枚持つだけでも、少し情熱的な気分になれるし、ブルーのシャツを着るとクールな気分になるでしょう。こういう色のパワーを意識して、暮らしの中に取り入れてみてください。

なんとなく元気が出ない、というときには、明るい色を。たとえば暖色系のオレンジや黄色がおすすめです。赤などの原色に近いものは刺激が強すぎてかえって気持ちが休まらないことも多いので注意してください。

基本的に、原色に少し別の色がまざったもののほうが、心にフィットします。たとえば赤に白をまぜるとピンク、黄色をまぜるとオレンジになります。そういう色を使ってみましょう。

一方、気分がソワソワしやすいので落ち着きたい、というときは、寒色系を使ってください。黒だと沈みすぎてしまいますから、黒に赤をまぜてできる茶色ぐらいがいいのです。

自分の家でも、なんとなく居心地の悪い部屋があれば、そこも色を使って活気づけましょう。どこの家にも、「エネルギーの弱い部屋」があります。そんな部屋こそ、色のパワーが必要なのです。

カーテンやソファなど、比較的面積の大きなものに、好きな色、明るい色を使ってみてください。小物でたくさんの色を使うと、煩わしくなります。色の統一感を大切にすれば、ホッとくつろげる部屋が演出できるでしょう。

音……（「音霊《おとたま》」は意外なほど心の奥深くに染み込みます。自分の心が心地いい音楽を見つけましょう。）

静かなピアノ曲を聴くと、落ち着いたやさしい気分になります。壮大な交響曲なら、荘厳な気分になるでしょう。音にも、「音霊」というエネルギーがあるのです。そのパワーが、私たちの気分を大きく左右します。

高揚する気持ちを鎮めたいときには、テンポを抑えた音楽を、元気を出したいときは、テンポの速い音楽を流してみましょう。

落ち着ける音、好きな音は、人によって違います。また、そのときの気分によっても違いますから、自分の気持ちと状況に合わせて選ぶようにしてください。

ただ、ゆったりリラックスしたり、自分の心を内観しようとするときは、ヴォーカルの入った曲は避けたほうがいいでしょう。歌詞には「言霊《ことたま》」が入っています。意識が歌詞のほうにいってしまうと、その影響を強く受けてしまうので、自分の気持ちを内観することが難しくなるのです。意味のわからない外国語の歌詞のものならかまいません。

自分の内なる心へ向かいたいときは、部屋の中に静かなメロディだけの音楽をＢＧＭとして流しましょう。

また、音楽に限らず、風の音とか、鐘の音といったものも効果的です。今、そういう音をまとめたＣＤもたくさん出ていますから、上手に利用してみてください。

石……（癒し効果だけでなく、マイナスのエネルギーを祓《はら》う効果も。とくに水晶には強いクリーニング効果があります。）

水晶、ローズクォーツ、ラピスラズリ……。今、パワーストーンは大人気です。

石は、地球から生まれたもの。地球から命を与えられているものです。植物や人間と同じように、石にもエネルギーが宿っています。

これを暮らしの中に取り入れるのはとてもいいことです。癒しの効果だけでなく、汚れたマイナスのエネルギーを祓う除霊効果もあるからです。とくに水晶には強いクリーニング・パワーがありますから、ぜひ身近に置いてみてください。

これらの石を手に入れるときは、信用できる石の専門店で選ぶことが大切です。デパートでもいいでしょう。私の書いた『《愛蔵版》幸運を引きよせるスピリチュアル・ブック』にも付録として水晶が付いています。

店内に並べられた石には、さまざまな種類があります。選ぶときは、実際に手にとってその感触を確かめてみましょう。手にしっくりとなじむ石、心地いいと感じられる石は、あなたの波動と合う相性のいい石です。

ただし、日によって、あなたの波長が高い日もあれば低い日もあります。波長の低いときに買いに行くと、どうしても波動の荒い石を選んでしまいますから、ある程度、気持ちに余裕があるときに買いに行くほうがいいでしょう。石と「お見合い」をするつもりで行ってください。

選ぶときのポイントはいくつかあります。

まず形ですが、原石のままのものはおすすめできません。自然霊の働きが強すぎるからです。ある程度、形成されたり磨かれたりして、自然霊の働きが弱められている石のほうがいいでしょう。ヒーリングで利用するなら、単純な丸玉がおすすめです。

石の大きさは、用途によって異なります。お守りとして持つなら、小さいものでもかまいません。除霊に利用する場合や、自分を本当に強く守ってもらいたいと思う場合は、直径3センチぐらいか、それ以上の大きさが必要です。

色は、自分の好みの色でいいのですが、除霊の効果を期待して水晶を買うときは、無色透明のものがいいでしょう。

お店で売られている石には、種類によってさまざまな効能が書いてあります。たとえば「恋愛運アップにはローズクォーツ」などと書かれてあると、つい手が伸びそうになりますが、能書きは花言葉と同じようなもの。あまり気にする必要はありません。

そうやって選んだ石が、あなたのベスト・パートナーです。

その石を家の除霊に利用したいときは、生活の中心になっている場所に置きましょう。たとえば神棚や机の上などがいいでしょう。

体の調子の悪い部分を癒したい場合は、そこを水晶でなでてください。肩が重いときは肩を、頭が痛いときは頭をなでながら、痛みを水晶に吸いとってもらうイメージを描き、「痛みをやわらげてください」と祈りましょう。水晶を枕の中に入れて眠るのも、効果的です。

そうして身になじんだ石は、あなただけのもの。たとえば、水晶で痛む個所を癒そうとする場合、自分の水晶を人に使わないようにしてください。石とあなたは一心同体。それぐらいの気持ちで大切に扱いましょう。

水晶が汚れてきたら塩水で洗い、陰干ししてください。使命をまっとうした水晶は、自然にヒビが入ったり、くもってきたりします。そのときは感謝を込めて、ほかのお守りと同じように、神社などにおさめてください。

気持ちいいカラダのための時間

Part 2
カラダが教えてくれる スピリチュアル・メッセージ

現在の心の状態、体の状態はすべて、あなたのガーディアン・スピリットからのメッセージです

「ああ、疲れた」という言葉が口癖のようになっていませんか？

ストレスの多い毎日の中で、私たちは、知らず知らずのうちに疲れをためています。

「今とても疲れている」「最近なぜか疲れやすい」というのは、ガーディアン・スピリットからの大切なメッセージです。

一度、今の疲れは自分に何を伝えようとしているのかを考えてみてください。それがわかってはじめて、本当に疲れを癒すことができるのです。

まず、私たちはなぜ疲れるのか、それを考えてみましょう。

イラストのように、私たちは、目に見える肉体を持っています。その肉体の上に、目には見えない幽体が重なっています。そして、肉体と幽体の中に内在する霊体（たましい）があるのです。

よくいわれる「オーラ」とは、幽体と霊体が放つ光のことです。人は死を迎えると、

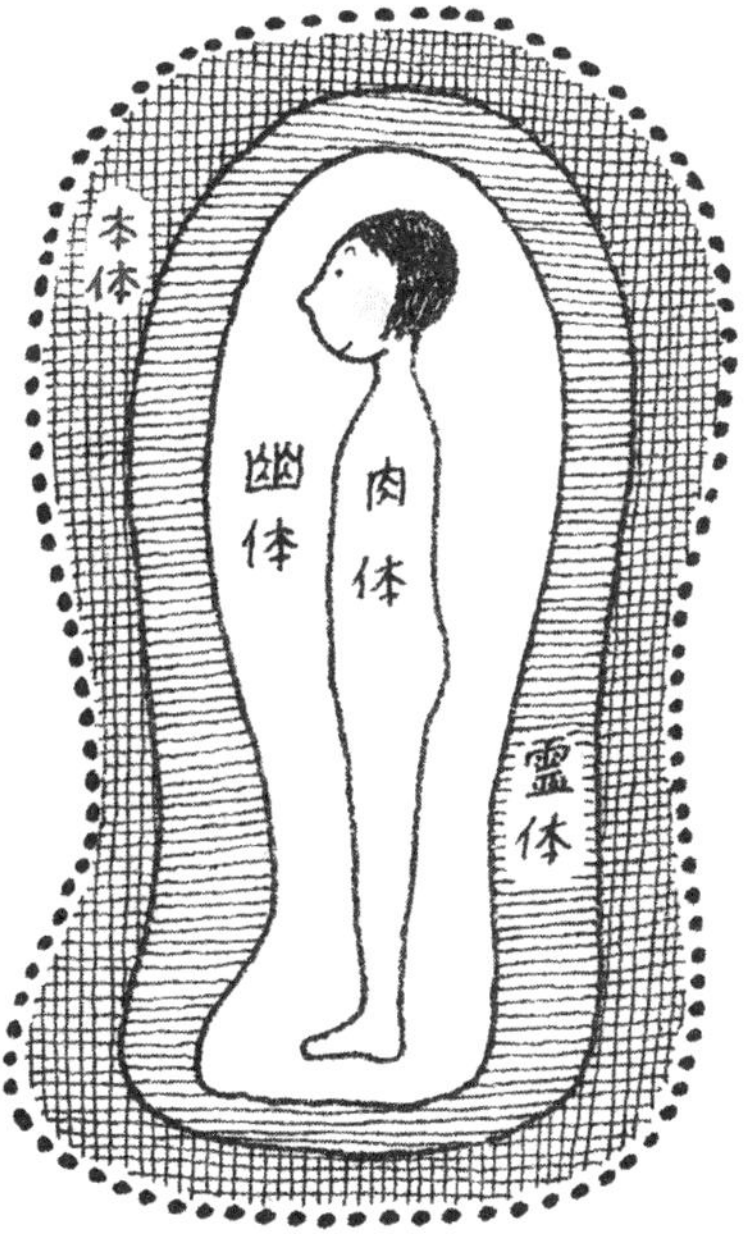

人間のオーラのかたち

幽体と霊体が肉体から旅立ち、ただの肉体だけになりますから、オーラは失われます。

あなたの体の調子をあらわすオーラ、心の調子をあらわすオーラ

さて、幽体は、肉体と重なりあっていますから、幽体が放つオーラは、肉体の調子をあらわします。これは、体のあらゆる場所から放たれていて、調子の悪いところの色は鈍い色みを帯びてくるのです。

一方、霊体が放つオーラは精神の調子をあらわします。これは、頭の後ろに後光のように出ているものです。

私たちが「ああ、疲れた」というとき、その疲れは肉体からきている場合と、精神からきている場合の、二種類があります。

まず肉体の疲れですが、これは忙しく働いたり動いたりして、体を使いすぎるために起こります。ピアノを弾きすぎて、手首が腱鞘炎になるなどの場合がそれです。そんなときは、肉体と幽体が重なっている部分が不調和を起こしています。そのため、不調和が起こっている部分のオーラの色がくすんできます。

一方、心が疲れているときは、私たちの存在の基本ともいえる「霊体」が不調和を起こしています。頭の上に本来出ているべきオーラの色も薄れ、輝きを失っているのです。こうなると、肉体にも影響が出てきます。肉体をうまくコントロールできなくなってくるのです。

自動車にたとえると、霊体（たましい）が運転手、肉体が車体です。車体が丈夫でも、運転手が居眠りしていたり、ぼんやりしていては、どこにも行けません。

そんなふうに、体と心（たましい）は連動しています。

ですから、本当に疲れを癒そうと思うなら、両方をしっかりメンテナンスすることが必要なのです。

「心の疲労」は、あなたが今どんな思いでいるかによって生じます

では、心はなぜ疲れてしまうのかを見ていきましょう。

肉体は、使いすぎることで疲れます。では、心を疲れさせるものは何なのでしょうか。パート1でも述べたように、それはネガティブな思いです。怒り、悲しみ、憎し

み、妬み……。そういった思いが、心にうずまくとき、私たちの心はグッタリと疲れます。

少し宗教がかったいい方になってしまいますが、心が「神」から離れているとき、私たちは疲れ、生きる気力を失ったり、虚脱状態になったりするのです。

「神」といわれても、ピンとこないかもしれませんが、ここでいう神とは、この世のすべてのものを慈しみ、いとおしむ「愛」のこと。真・善・美のことです。

そして、私たちの心の奥底にも、神がいるのです（これを「神我」と呼びます）。

私たちは、小説や絵画、音楽に触れて感動するでしょう。美しい自然を見てもうれしくなります。それは、そこに人生の真実や、善なるもの、美しいもの、そして愛が宿っているからです。それらに触れたとき、私たちの心の奥底にいる神が目覚めます。だから喜びがあふれてくるのです。

ところが、ネガティブな思いにとらわれるようになると、この神から次第に遠ざかっていきます。

そのとき、私たちはエネルギー源から切り離された状態になります。そして、疲労感が押し寄せてくるのです。

街を走る路面電車は、車体がパンタグラフとつながっていて、そこからエネルギーを補給されています。だから、いつまでも走れるのです。切り離されたら、とたんにストップするでしょう。私たちもそれと同じです。いつも神の心とつながっていることが必要なのです。

疲れたな、と思ったときは、自分の心をじっくりと見つめてください。

もし自分が神だったら、あんなことで怒っただろうか、人を責めただろうか、クヨクヨしただろうか……と。

そういう視点で振り返ってみると、自分がどれだけ神から遠く離れていたかがわかってきます。それこそが、心の疲れの原因なのです。

心が疲れると、連動して体も疲れてきます。

私たちが神のように生きられれば、そのとき、心も体も本当にすこやかに、心地よくなるのです。「神のように生きる」なんて、できないと思うかもしれません。でもこれは、「神に近づく」のではありません、「神に戻る」のです。もともと、私たちの中に神は宿っているのですから。

赤ちゃんの無邪気なほほえみ、無垢な瞳の愛らしさを思い出してください。ネガティブな思いや疲労感とは無縁のあの姿の中にも神が宿っています。あれこそ本来の私たちの姿であり、成長してもずっと心の中にあるものなのです。ただ、それを私たちは忘れているだけです。

誰もがみんな、心の中に神を宿しています。それを思い出しさえすればいいのです。そうすれば、心身ともに疲れにくくなります。今、感じている体の疲れも、不思議なほど癒されていくのです。

「質のいい睡眠」と「入浴」はあなたの心と体を癒す一番の方法です

ただ疲れたというだけでなく、体にはっきりした疾患があるときは、きちんとそれを治療しましょう。自動車でも、故障している部分があるときは、メカニカルな処置が必要です。それと同じです。

とくにはっきりした疾患がない場合、つまり働きすぎて、体を酷使した場合は、しっかりと休息をとることです。

なかでも、ぐっすり眠ることは、疲れを癒すために本当に大切です。肉体の疲れの

愛蔵版
毎日が「いいこと」でいっぱいになる本
スピリチュアル
Spiritual Life 12 months
生活
12カ月
江原啓之
スピリチュアルな光をちょっと当てるだけで、
幸せのスタートになる！
――あなたに幸運が集まる本
付録
江原先生が
一つひとつ
ェネルギーを込めた
1
ズ・クオーツ
（紅水晶）
のお守り
2
江原啓之の
“幸せへのお約束”
カード
絶賛
発売中
定価（本体価格2800円＋税）
付録分売不可
A5判
ハードカバー函入り
分自身のバイブルとして　大切な人へのプレゼントに
三笠書房

特効薬は睡眠なのです。前にも書いたように、私たちの肉体が眠っているとき、霊体（たましい）はスピリチュアル・ワールドに里帰りして休息をとったり、エネルギーを充填したり、ガーディアン・スピリットからアドバイスをもらったりしています。

ですから、よく眠ることで、肉体の疲れをとり、同時に霊体の疲れも解消することができるのです。

つまり睡眠とは、車（肉体）を車検に出してメンテナンスをするようなもの。車体は、メカニックな故障がないか検査してもらい、不備なところがあれば直してもらいます。運転手（霊体）は、その間どこかでお茶を飲んだりして、疲れを癒します。車検がすめば、車も運転手も良好な状態に戻って、また快調な走行ができるでしょう。そういう意味で睡眠は体にも心にも、とても大切なものなのです。

疲れを感じたときは、質の高い、深い眠りをとってください。

質の高い睡眠をとるために大切なのが、その前の入浴です。

寝る前には、必ずお風呂に入りましょう。お湯につかって体が温まると、体が心地よく疲れ、そのあとぐっすり眠れるのです。

また、入浴中は体全身の毛穴が開きます。これによって体と心にたまった汚れたエクトプラズムを発散できるのです。

エクトプラズムとは、一種の生体のエネルギーのことで、目には見えません。

通常は、白いきれいなエネルギーです。ところが、体が疲れてきたり、心の中にネガティブな思いがたまってくると、このエネルギーが汚れます。そんなとき、私たちはタコが墨を吐くように、モクモクと頭から黒いエクトプラズムを出しているのです。

こういう悪いエネルギーがたまると、心も体もますます疲れていきます。

これを発散するのに一番いい方法が、お風呂に入って、体を温め、毛穴を開くことなのです。

ですから、日々の入浴は本当に大切です（入浴法については126ページ参照）。忙しくて、疲れているときほど、バスタイムを充実させるよう気をつけましょう。

「自然からのパワー」には、心と体がまさに生まれ変わる「癒し効果」があります

自然の温泉はスピリチュアルなヒーリング効果にあふれています

疲れがとくにたまっていると感じるときには、温泉に行ってみてください。温泉では汚れたエクトプラズムを発散させやすいのです。温泉好きの人はたくさんいますが、みんな無意識ながら、その快さを知っているのです。

ただし、温泉では、ほかの人も同じように発散しています。混雑したお風呂では、人が発散したエクトプラズムを吸収してしまうので、できれば人の少ない秘湯や、家族風呂、貸切露天風呂などを利用するほうがいいでしょう。

部屋に露天風呂がついている宿などは最高です。

露天の温泉につかると、そこで日の光を浴び、風に吹かれ、木々の緑や海、大地を

眺めることができます。

実は、これらは金、土、水、木、火、いわゆる五行と呼ばれる最高のスピリチュアル・グッズなのです。

部屋の中に観葉植物を置くだけでもエネルギーをもらえるのに、もっと大きな自然のパワーに満ちたところに行けば、効果は倍増。体も心もスッキリとクリーニングされて、芯から癒されるのは当然です。

さらに、お風呂からあがれば、その土地でとれた、旬のおいしいお料理が待っています。これには、都会で味わう料理にはないエネルギーがこもっています。

そのパワーをいただいて、のんびりくつろぐうちに、自分が今まで悩んでいたことや、ネガティブな思いは、スッキリ洗い流されて消えているでしょう。

体も心も軽くなって、いいエネルギーに満たされる。それが温泉の効果なのです。

ですから、季節に一度、あるいは疲れたなと感じたときは、ぜひ近くの温泉に足を運んでみてください。それは、心身に疲れをためないコツのひとつです。

本来の自分を取り戻すためのメディテーションの方法

温泉のもうひとつのメリットは、静かな空間に身を置くことができる点です。露天風呂で癒されて、おいしい季節の料理をいただき、あとはぐっすり眠ればいいだけ。そんな時間帯こそ、大切なヒーリング・タイムです。

そのときにぜひ、メディテーションをしてください。

これは、心の傷を癒すためのネラ式メディテーション（拙著『幸運を引きよせるスピリチュアル・ブック』参照）とは違い、肉体と幽体、霊体の調和をはかるためのもの。頭の中を空っぽにして、神の心に戻るためのメディテーションなのです。

まずイスに座って、膝の上に手を置きましょう。できれば、そっと両手を組んでください。これは体の中にエネルギーを循環させるためです。手が体から離れていると、そこからエネルギーが放出されてしまいます。

次に、鼻から深く息を吸い込み、口から少しずつ吐き出します。

そのとき頭、手、足など、全身から汚れたエネルギーが出ていくようにイメージしてください。これを2、3回くり返し、気持ちを落ち着けます。

あとは何も考えず、頭の中を空っぽにして、ゆったり、まったりとした時間を過ごしましょう。自分がそこにあることを意識せず、山、川、海、木々などの大自然の中に、自分を溶かしていくのです。

すると、今まで悩んでいたことに対して、「まあ、いいか」「どうにかなる」と思えるようになります。

これは、投げやりになるということではありません。「どうにかなる」という言葉が出るということは、いいかえれば、ガーディアン・スピリットを信じ、身をゆだねているということなのです。

ガーディアン・スピリットの存在、神の存在を心に思い描き、自分ひとりで生きているわけではないこと、力を尽くしたあとはゆだねても大丈夫なのだと信じることで、癒しの効果が高まります。

このメディテーションによって、肉体が沈静化する一方で、たましいは活性化します。両者が調和し、本来の自分を取り戻すことができるのです。

海には「浄化」のパワー、山には「癒し」のパワーが満ちている

　さて、温泉に行こうと思い立ったとき、山にある温泉と海の近くにある温泉と、あなたはどちらを選びますか？

　実は、海と山ではその効能が違います。疲れて弱気になっている自分を励ましたいとき、癒しの力を与えてくれるのは山。一方、いやなことが続いてイライラしているとき、そのネガティブな思いを浄化してくれるのは海です。

　海水に含まれる塩には、強い浄化作用があります。

　ですから、玄関の盛り塩をはじめ、お清めには塩が使われるのです。ただし、お清めの塩は、化学塩では効果がありません。海の水からつくった自然塩だからこそ、パワーがあるのです。

　もちろん海そのものにも浄化パワーはあります。

　石油を積んだタンカーが座礁して油が流出しても、海はその汚れを飲み込み、復活するでしょう。太平洋のおだやかな海、荒波の立つ日本海の海、あるいは鳴門海峡の

ような渦潮の海……。どんな海にも汚れを飲み込み、清めるパワーがあるのです。

また、磯の香り、波の音の音霊の中にも、浄化と癒しのエネルギーはあります。

海辺の温泉へ行ったときは、雄大な海の景色を胸に焼きつけましょう。潮の香りを胸いっぱいに吸い込み、たえまなく響く潮騒にじっと耳を傾けてください。

心の中によどんでいたネガティブなものがすべて流され、心を清めることができます。つまり、海へ行くことは一種の除霊であり、お祓《はら》いなのです。

海水や海藻を使ったタラソテラピーも、実際の海ほどではありませんが、「プチ除霊」「プチお祓い」の効果があります。温泉宿でタラソテラピーができれば最高です。

理想をいえば、1泊めは海の宿でタラソテラピーをし、2泊めに山の温泉に泊まれれば最高です。エステにたとえると、海の効用は「垢すり」のようなもの。心身にたまった垢を洗い流してスッキリします。

山の効用は「パック」をして肌に栄養を閉じ込めるのと同じ。きれいになった心身に、新たなエネルギーを充填できるのです。どんな頑固な疲れもとれて、生まれ変わったようにリフレッシュできるでしょう。

マッサージの「ハンドパワー」には、体を整えるスピリチュアルな「癒し効果」があります

手のひらは「スピリチュアルな力」を発している

体が疲れたとき、睡眠、入浴（温泉）のほかに、もうひとつ、効果があるのがマッサージです。

今は、街でクイックマッサージの看板を見かけることも多くなりました。15分ほどの短時間でも、体の疲れは癒されます。その間に、熟睡するほどリラックスできたなら、それは3、4時間ほど眠るのと同じぐらいの効果があるのです。

私自身、マッサージしてもらうことは大好きで、仕事で出かけた旅先でも、よくマッサージをお願いします。

肉体的にいえば、マッサージは、筋肉をほぐし、血行をよくするためのものですが、

スピリチュアル的にいうと、それを施す人のハンドパワー（磁気の力）を体内に取り入れるという意味があります。

96ページでくわしく説明していますが、手のひらからは磁気的なパワーが強く出ています。疲れて不調和を起こしていた肉体と幽体に、磁気的なパワーを補強することで、調和が戻り、疲れがとれるのです。

自分のたましいとの相性がいい「手」を持つ人

マッサージでは、東洋医学でいう「ツボ」を押しますが、ツボとは、スピリチュアル的にいえば、肉体と幽体をつなぐつなぎ目にあたります。そこを押すことで、肉体と幽体の不調和を修正しているのです。

前述したように、私たちの体は、肉体と、その上に重なる幽体、その全体を包み込む霊体からなっています。疲れているときは、肉体と幽体のつなぎ目が不調和を起こしているのです。マジックテープがズレていると考えてください。マッサージは、それをきちんと正しい位置にとめなおす行為です。

こうすると、体のエネルギーの流れがスムーズになります。

ですから、いいマッサージ師とは、ハンドパワーの強い人といえます。そして、体のどの部分のマジックテープがズレているのかがインスピレーションでわかる人です。これはもう天性のもの。神様からの贈り物です。

そんな人のハンドパワーを、疲れた体の必要な場所にきちんと当ててもらうと、本当にラクになります。ただし、同じように優秀な技術を持つ人でも、自分との相性はあります。体の痛みをとってくれる部分、押されて心地いいと感じる部分に、自然に手がいくかどうか、そういう相性も大切です。

あなたの体を理解して、癒してくれる、相性ピッタリのマッサージ師さんをぜひ見つけてください。それは体の疲れをとるうえで、本当に重要なことなのです。

疲れを癒したいとき、痛みを軽くしたいとき

マッサージと鍼灸《しんきゅう》、整骨院での治療の違いを理解して、ケースバイケースで使い分けることも大切です。

体全体の疲れを癒したいときは、マッサージがいいでしょう。

鍼灸は、体の一カ所が痛むとき、たとえば肩がこっていたり、腰が痛んだりする、そのピンポイントを癒したいときに使うと効果的です。鍼灸は、体のエネルギーの流れをよくすることが中心の治療法ですから、それが滞っているところに集中的に行なうといいのです。

整骨院でのマッサージは、物理的に骨のゆがみが原因で起こる痛みをとりたいときに使いましょう。骨格を整えることで、痛みがとれる場合もあります。普通のマッサージだけでは痛みがとれないときは、整骨院で診てもらうといいでしょう。

またマッサージは、人にしてもらうのが効果的です。けれど忙しくてなかなかその時間がとれないというようなときは、自分でできるストレッチもあります。

189ページに、自分でできるストレッチを呼吸法と合わせて紹介しています。

これは「鎮魂法」と呼ばれるストレッチで、これを行なうと、肉体、幽体、霊体の調和がとれます。体の中から活性され、元気が出てきますから、朝目覚めたあと、今日も一日頑張ろうという気持ちで行なうと効果的です。

私たちはすべてスピリットの存在です
そして、私たちの誰もが「癒しの力」を持っているのです

痛みのケア――ヒーリングには二種類ある

体全体がだるい、疲れている、という場合はもちろんですが、どこか一カ所、たとえば頭が痛い、肩がこるなどの症状が出るだけでも、本当につらいものです。

スピリチュアルな考え方では、体の痛みもひとつのメッセージなので、早く治すことだけがいいとは限りません。くわしいことは、パート4で説明しますが、ここでは、まず痛みをどうやわらげるかという対処の方法をお話ししましょう。

痛みのケアには、基本的に2種類あります。

ひとつはマグネティック・ヒーリング（磁気治療）、もうひとつはスピリチュアル・ヒーリング（霊的治療）です。

マグネティック・ヒーリング――手のひらから癒す

マグネティック（オーラ）・ヒーリングは、患部に手のひらを当てたり、手でさすったりすることで、痛みや苦痛を取り除く治療法です。

人間の体はマグネティックな力とオーラを同時に放っていて、それらを一番強く外に放出しているのは、手のひらなのです。ここから出るパワーを痛みのある部分に注ぐと、痛みを除くのに役立つのです。

前述したように、痛む部分のオーラはくすんでいます。肉体と幽体が不調和を起こしているからです。それを手のひらから出るオーラで補うわけです。

ですから、これを「オーラ治療」とも呼びます。この療法を行なうと、痛みがやわらぐだけでなく、自然治癒力を増すことにもなります。

実は、私たちは、無意識のうちにこのような療法を日常的に行なっています。

たとえば、お母さんは子どもが転んで膝をすりむいたときなど、その患部に手を当てて、「痛いの痛いの、飛んでいけ」というでしょう。薬など使わなくても、子どもはお母さんにさすってもらうだけで、なんとなく痛みがやわらいだような気になるものです。

また、どこかが痛いときは、自分でも自然とそこを手でさすっていませんか？　これらはすべてオーラ治療なのです。

スピリチュアル・ヒーリング――ガイド・スピリットに癒してもらう

一方、スピリチュアル・ヒーリングは、これとはまったく違います。

自分自身の手を通して、スピリチュアルな世界の人々に治療を依頼するのです。患部に手を当てて「どうか私の足を治してください」「私の手を通してスピリチュアル・ワールドのパワーを与えてください」と祈る。これがスピリチュアル・ヒーリングです。

私たちのガーディアン・スピリットはひとつの霊ではなく、その中にガイド・スピリット（指導霊）も含まれます。そのガイド・スピリットの中には、必ず医療に強い人、スピリチュアル・ドクターがいます。その人に、お願いするのです。先ほどのオーラ治療が能動的治療であるのに対して、これは受動的治療といえるでしょう。

患部に手を当てるという行為は同じなので、同時にオーラ治療にもなっています。

「とる必要のない痛み」——それはあなたの心の中に答えがあります

このようにして、自分自身でヒーリングすることで、とる必要のある痛みなら、次第におさまっていくでしょう。

けれど、とる必要のない痛みもあります。

先ほど書いたように、痛みもひとつのメッセージです。何らかのシグナル、イエローカードとして痛みが出る場合があるのです。

たとえば、自分の人生に不平不満がたくさんあって、いつも「どうして自分だけこんな目に遭うんだろう」などと考えていると、胃腸がおかしくなったり、胸やけを起こしたりします。

このような痛みに対しては、自分で内観して、そのことに気づかないと、痛みはとれません。一時的によくはなっても、また痛くなるでしょう。

それは「心の偏りに気づきなさい」というメッセージですから、本人が気づくまで痛みはとれないのです。ガイド・スピリットからしてみれば、とる必要のない痛み、ということになります。

スピリチュアル・ヒーリングでもっとも大切なのは、この点です。

つまり、自分の心を振り返り、心のクセを治すためのシグナルとして、病気や痛みをとらえることが大切なのです。ですから、「気づかせてください」と祈りながらさするようにしてください。

その気づきがないと、本当の癒しは訪れないのです。

私たちはなぜこの世に生まれてきたのか、思い出してください。

仕事をするためでも、遊ぶためでもありません。経験を積んで、より高く、より豊かなたましいになるために生まれてきたのです。

そのためには、痛みや病気をただ忌まわしいものと考えないでください。痛みや病気は、自分自身をよりよく導くための、ひとつのチャンスでもあるのです。

ちょっとしたことですぐに体調を崩してしまう人へ

弱気になると風邪をひきやすくなります

体が疲れていると、風邪をひきやすくなります。しょっちゅう風邪をひく体質をなんとかしたいと思っている人も、多いようです。

風邪の原因は、鼻や喉から菌が入り、粘膜が菌に負けることです。肉体的にいえば、体が疲れ、体力が落ちていると、菌を跳ね返すことができなくなって、風邪をひきます。スピリチュアル的にいえば、気分が高揚しているときは、私たちの基本である霊体が肉体に英気を与え、外から侵入した菌を肉体が跳ね返してしまうのですが、気がゆるんだり、弱気になったりしているときは、その力が弱くなるのです。そのため、風邪をひきやすくなります。

まずは背中とお腹を意識的にケアしましょう

そんなとき、大切なポイントは背中です。まず、背中を癒してあげましょう。健康の源として大事なのは、背中とお腹。とりわけ背中は、とても大事な場所なのです。それなのに、無防備な場所でもあります。ここを意識的にケアしてください。咳などが出る呼吸器系の風邪の場合は、肩甲骨と肩甲骨を結んだ線より5センチほど上と下にあるふたつのツボに温湿布をしましょう（イラスト参照）。

上のツボのあたりを私は「神座」と呼んでいます。また、下のツボは「霊台」といいます。霊がのる台ということです。肩がこっているとき、また体力が落ちているとき、疲れて仕方がないというときにも、ここに温湿布をすると効果があります。

家族や恋人に手でマッサージしてもらえれば効果的ですが、頼めないときは、自分で温湿布を貼ってもいいでしょう。夜、貼ったまま眠ってもかまいません。

寒い時期、屋外に長時間いなければならないときなどは、服の上から貼れる使い捨てカイロなどでこのツボを温めましょう。

さらに襟巻きをして首を冷やさないように注意すれば、風邪をひきにくくなります。首元も、とても大切な場所です。ちなみに、霊的なエネルギーが乗り移る「憑依《ひょうい》」という現象は首から起こります。また、憑依霊が出入りするのは背中からです。

また、咳が出るときは、前屈みになってせき込みますから、胸が狭くなり、背中がこります。ツボを温めると同時に、肩甲骨の部分をもみほぐし、胸を広げてあげると呼吸がラクになるでしょう。これは、ぜんそくの人にも効果的です。

健康をつかさどるもうひとつのポイントは、お腹です。

おへその下あたり（丹田）には、体全体を癒すツボがあります。この部分にエネルギーが充満していないと、健康とはいえません。

よく「腰を据えて仕事にかかる」とか「腹がすわっていないとダメだ」といいますが、それほど、お腹周辺は大事な部分なのです。

風邪をひきにくい体にするためにも、寝る前にお腹のツボを手で押さえましょう。蓋をするということではありません。ハンドパワーを使って、ここから体の中にエネルギーを満たすのです。そうすることで、体全体を癒すことになります。

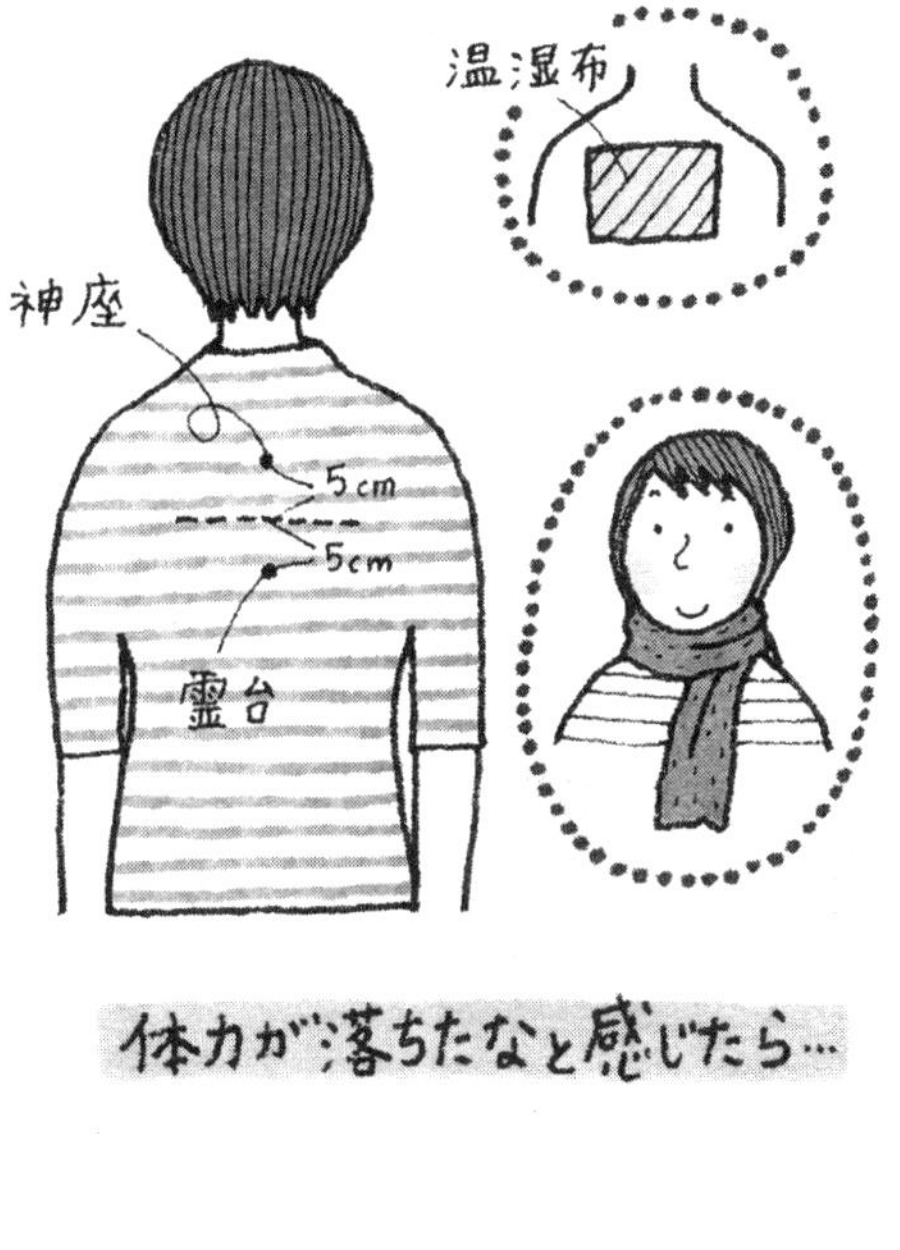
温湿布
神座
5cm
5cm
霊台
体力が落ちたなと感じたら…

風邪をひいたかなと思ったら試してください

それでも風邪をひいてしまったら、なるべくなら薬に頼らず、自然治癒力で治したいものです。もちろんケースバイケースで、薬が必要なときもあるでしょうが、そこまでこじらせてしまわないよう、自然治癒力を高めることが大事です。

そのために、背中とお腹のツボを意識することと同時に、自然にあるものを利用して回復をはかりたいものです。たとえば、緑茶でうがいをしたり、塩を入れたお風呂に入ったりするのも効果があります。

緑茶は、カテキンという栄養素が含まれていて、殺菌作用があるからいいといわれますが、それだけではありません。お茶の葉は、太陽の光を浴び、土の栄養を取り込んで育っています。そういう自然のパワーには自然治癒力を高める力があるのです。

また、前述したように海の塩には、浄化のパワーがあります。湯船に塩を入れるのは、タラソテラピーの家庭版といってもいいでしょう。そういう自然のエネルギーに感謝し、それを取り入れることで、病気に対する抵抗力をぜひつけてください。

いいエネルギーを補給する時間

Part 3
もっときれいになる
スピリチュアル・ボディメイク

「食べるもの」が、私たちの体と心をつくります。体と心が喜ぶものを食べれば、誰でも元気に、美しくなれるのです。スピリチュアルな面からいうと、豊かな食事こそが、私たちのオーラを強くし、美しく輝かせてくれます。

「心と体が元気な人は、きれいです」。このシンプルな事実を思い出しましょう。逆にいえば、きれいでいたいと思うなら、体も心も元気ですこやかでないといけない、ということです。

ですから食事には十分に気をつかってください。

大切なのは、いい素材、あなたのたましいが喜ぶ素材を選ぶことです。私たちのスピリットが喜ぶ食材には、体の中に食べ物のエネルギーを吸収するための食材と、体の中から汚いものを排出して体を浄化させる食材があります。

この章では、いいエネルギーを取り込み、体を浄化する食材を紹介していますので参考にしてください。

食べるものにもっと注意深くなりましょう あなたの体のエネルギーは食材そのものの力が影響します

根菜・イモ類……（元気を出したいときに積極的に食べましょう。ただし、ダイエット中の人は「イモ類」に要注意。）

エネルギーの強い食べ物の代表としては、大地の中で育つ根菜があげられます。なかでも、食物繊維の豊富なレンコン、呼吸器系の疾患にも効果があるゴボウ、疲労回復効果の高い山芋などを意識して食べましょう。

根菜は大地の中で育ちますから、そのエネルギーを存分に蓄えています。大地のエネルギーとは、大地に根づく力、たくましく生きる力を与えてくれるものです。植物も人間も、まず地面に根づくことから始まり、芽吹いて、花を咲かせるのです。ですから大地のパワーを取り入れることは、生きる基本です。

また、根菜類は、地面に出ている部分からは太陽のエネルギーも吸収しています。さらに大地に含まれる豊かな水のエネルギーも吸収しています。大地と太陽と水、3つのエネルギーをバランスよく含んでいる理想的な食材なのです。

イモ類もとても大切ですが、ダイエット中の人は少し避けたほうがいいでしょう。太っている人はすでに体内にでんぷん質を蓄えているわけですから、とりすぎには気をつけましょう。

豆類……（たましいのエネルギーがいっぱい詰まっています。もっときれいになりたい人におすすめの食材です。）

豆も、根菜と並んでエネルギーの強い食材です。

豆はこれから芽を出すもの。たましいのエネルギーに満ちています。豆は胎児の形に似ているでしょう。小さな一粒に命が凝縮されているのですから、まさに「畑の胎児」です。ぜひ年間を通して食べるようにしてください。

納豆が体にいいことは、最近よくいわれています。キムチ、ヨーグルトと並んで、三大発酵食品のひとつであり、美容にも効果が高いといわれています。そのほか、豆腐、味噌、豆乳など、さまざまな大豆加工食品がありますから、意識して毎日とるといいでしょう。毎朝、お味噌汁を飲むだけでも、体の疲れは断然違ってきます。

これから成長するものという意味では、豆と並んで、タラの芽、ニンニクの芽なども、非常にエネルギーが豊富です。これらの自然の「芽生えの力」を借りて、体内にエネルギーを吸収してください。

乳製品・肉類――（美しい肌づくりには欠かせません。いつまでも若々しくいたい人は積極的にとりましょう。）

牛乳、バター、チーズなどの乳製品もエネルギーが豊富です。

これらは、動物からいただいたものを加工した食品で、体をつくるタンパク質や脂質が豊富です。これらは、美しい肌をつくるときにも欠かせないものですから、ぜひ食べましょう。

同じく動物からいただくものとして、肉にも大きなエネルギーがあります。ただし、スピリチュアルな視点でいえば、ほかの命をいただくのは、あまりよいことではないので、できるなら避けたほうがいいのです。

けれど、昔に比べて老化が遅くなっているのは肉食のおかげです。人間がいきいきと生きるために必要なエネルギーですから、完全にやめることはできないでしょう。

「命をいただいて、ありがたい」という感謝の気持ちを込めて口にしてください。

貝・海藻類——（海のミネラルたっぷりの食材。つややかな髪を手に入れたい人にも。）

貝や海藻も、非常に滋味豊かな食材です。

なかでもタウリンやコハク酸という成分は、貝にしか含まれていません。

それは滋養強壮剤にも使われるほどのパワーがあります。カキは「海のミルク」と呼ばれているのはご存じでしょう。

ただし、貝は傷みやすいので、毎日食べるのは難しいかもしれません。佃煮や燻製、缶詰を利用したり、冷凍ものなども上手に取り入れてみてください。

また、海藻には、海のミネラルがたっぷり含まれており、つやのある髪や美肌づくりに役立ちます。乾燥ワカメを常備しておけば、手軽に食卓にのせられるでしょう。意識して毎日食べるようにしてください。

さらに、海のものにはすべて浄化作用がありますから、貝や海藻、その他の海産物にも浄化のパワーがあることを忘れずに。感謝していただきましょう。

あなたの体はいつもクリーンに保たれていますか？
体の老廃物は、あなたのたましいも濁らせます

水……（いい水をたくさん飲んで、余分な水分を体の中から追い出しましょう。）

水は、体の中を巡り、ため込んだ余分な水分や汚れを体外に排出してくれる大切なものです。

たかが水と軽く考えず、ぜひ、いい水を飲むようにしてください。

毎日飲む水は、できれば天然水がいいでしょう。山の湧き水なら最高です。地上に湧き出てくるまでに、長い年月をかけて、草木の根、土、石などのすきまを通ってきています。

つまり、大地の中を通ってきた水の中には、大地のエネルギーや、土の中に含まれ

ていたであろう薬草のエネルギーなど、大きなパワーを蓄えているのです。それだけ浄化のパワーも大きくなります。

水道水は、化学成分で浄化されていますが、天然水とはエネルギーが違います。すべてろ過され、パワーが抜けてしまったあとの水ですから、洗濯などに使うのはいいとしても、体を浄化させる効果は期待できないでしょう。

今は水の中に炭を入れて浄化する方法も、普及しています。大地の水をいただけない場合、せめて炭で浄化させようという発想でしょう。

確かに、炭自体には浄化のエネルギーがあります。ただ、水道水には、もともと天然水のようなパワーがないので、それを炭で浄化したとしても、効果はほとんどありません。炭には、どちらかというと悪いエネルギーを吸収するパワーを期待したほうがいいでしょう。

塩……（たかが調味料とあなどらないで。いい塩を使えば体調が断然違います。）

塩にも、浄化のパワーがあります。

もっとも効果的なのは、海の粗塩です。

神道の神話の中には、いろいろな罪や汚れを、最後に海が飲み込んでくれるという話があるほど、海の浄化のパワーは本当に強いのです。

ですから、調味料として使う塩は、必ず天然の海水からつくられた塩を使ってください。それだけでも、体調の違いが感じられると思います。

column

毎日の食材選びのスピリチュアルな注意点

元気に美しくなりたいとき、もうひとつ気をつけたいのが、食材の品質です。同じ食材でも、次の点に注意するのとしないのとでは、格段に違うのです。

まず、季節の旬のものを選ぶようにしてください。

今は、四季を通じてなんでも手に入りますが、やはり季節に合った旬の食材に含まれるエネルギーが豊かです。魚も旬のものと冷凍ものでは、まったく味が違うでしょう。

また、夏にとれるナスなどの野菜には、体をほどよく冷やす効果がありますし、冬にとれる大根などは、体を温めてくれます。

旬の食材には、それぞれの気候に合わせて、私たちの心身を癒し、すこやかに整えてくれる作用があるのです。いわば天からの贈り物。楽しみながらいただきましょう。

次に、天然もの、露地ものを選ぶのも大切なことです。

野菜は、大地と太陽と水のパワーを十分受けて育ったものを食べるようにしてください。ハウスの中で季節に関係なく生産されたものよりも、エネルギーが豊かです。魚も、天然ものと養殖ものでは運動量が違いますから、持っているパワーもまったく違うのは当然です。砂糖などの調味料も、精製糖ではなく、きび砂糖、黒糖、三温糖など、ナチュラルなものを選びましょう。

また、天然のものは、それ自体のうまみも強いのが特徴です。露地栽培の野菜などは何も味をつけなくても、それだけでおいしくいただけます。

最近は、そんな自然そのもののおいしさが忘れられているように感じます。素材自体に味があれば、薄味でいただけるので、塩分をとりすぎる心配もありません。ぜひ素材そのものの味を味わってください。

また、できるだけ、無添加、無農薬、低農薬のものを選ぶことも大切です。探すのが大変だったり、お金がかかったりしますが、そんな手間ひまをかけるだけの価値はあります。ぜひ心がけてみてください。

太りやすい太りにくいというのは、たましいの質に関係します　心を上手にコントロールすれば、太ることはなくなります

あなたは太りやすい人？　太りにくい人？

健康で、美しくなるためには、体重のコントロールも大切です。ダイエットに何度も挑戦しては失敗し、リバウンドをくり返していると、体も心も疲れてしまうし、美しさからも遠ざかってしまうでしょう。

スピリチュアル的にいうと、太りやすいかどうか、食べすぎてしまうかどうかは、たましいの質と深くかかわっています。周囲の雰囲気に影響されやすい敏感な人を憑《ひょう》依《い》体質といいますが、この体質の人は太りやすいのです。

たとえば、ランチタイムの繁華街などに行くと、周囲の人の空腹感をキャッチして、あまり食べたくなくても、つい食べてしまうことがよくあるタイプ。こういう人はよ

くいえば、感受性が豊かでほがらか、気のきく人ですが、その一方で、意外にクヨクヨと悩んでしまう人が多いようです。クヨクヨと悩むと、いわゆる「気が下がる」という状態になります。そのため「活気をつけなくては」という欲求が強くなり、必要以上に食べてしまうことになります。だから太るのです。

また、クヨクヨしている人には、浮遊している未浄化霊が憑依しやすくなります。たとえば臨終まぎわに食べたいものを食べられなかった人の霊などが憑依すると、急に同じものばかり食べたくなったり、お腹がすいていなくても食べてしまったり、ということが起こります。霊が食べたいと思う分を、本人が食べてしまうわけです。

美しく健康な体と心のためには、この体質を改善することが必要になります。

まず、次のチェック表で、あなたがどの程度の憑依体質か確認してください。

次に、いくつかスピリチュアル・ダイエットのコツをあげておきます。

実は私も憑依体質の典型ですが、一年で45キロの減量に成功しました。ここにあげたポイントは、その成功例にもとづくものですから、ぜひ試してみてください。

★「憑依体質」度チェック★――次の項目の中から、自分に当てはまるものに印をつけてください。

□人ごみが苦手。
□ものごとをいつまでもクヨクヨと考えてしまう。
□さびしがり屋だと思う。
□喜怒哀楽が激しいほうだ。
□病院に行くと、気分が悪くなる。
□頼まれると、NOといえない。
□人よりも気がきくほうだ。

ひとつでも当てはまれば憑依体質です。印をつけた数が2個以下なら軽度。少し気をつければ、改善できるでしょう。3～5個は中程度。食生活を見直しましょう。6個以上は強度の憑依体質です。肥満に気をつけて、次項から説明する対処方法を試してみてください。

たましいを癒し、美しくなるためのスピリチュアル・ダイエット

point 1 炭水化物と果物の食べすぎに気をつけましょう

憑依体質を改善するには、まず食生活に気をつけてください。

ポイントは、お米やパン、パスタなどの炭水化物を食べすぎないようにすること。

これらは、人間が本能的にもっとも強く「食べたい」という気持ちを抱くものです。

と同時に、実は食べ物に未練を残して亡くなった未浄化霊も、炭水化物を好むという性質があります。これを食べすぎていると、憑依されやすくなるのです。

同じように、アルコール、果物、糖質も、未浄化霊が好むので避けてください。

そのうえで、野菜、肉、魚、乳製品、卵、海藻などをバランスよくとりましょう。

そうすれば、間食したいという欲求はなくなります。排泄もスムーズにいくようになるでしょう。

やせたいなら、まずバランスのいい食事をすることです。

これは、私が実践している和田式ダイエットの理論〈『速効！和田式「一週間」ダイエット』（三笠書房《王様文庫》）参照〉とほとんど同じです。

つまり、和田式ダイエットは、スピリチュアルな立場から見ても、正しいということです。心も体も、もっときれいになりたいという人は、両方のダイエットを試してみてください。

さらにいえば、憑依体質の人は、周囲の想念に影響を受けやすいので、やせたいと思う時期は、みんなと一緒に食べたり、バイキングで食事をするのは避けたほうがいいでしょう。その場の空気に影響されて、ついつい食べすぎてしまうことになりやすいからです。

point 2

呼吸法で体の新陳代謝を高めましょう

腹式呼吸で大きく深く息をすることは、憑依体質の改善にも効果があります。

まず、肩幅程度に足を広げ、おへその下あたりにある丹田というツボに意識を集中してください。

次に、鼻からゆっくりと息を吸います。横隔膜をグッと支えるつもりで息を吸い込んだら、今度は口からゆっくりと吐き出します。

このとき、口から細い糸を吐き出すつもりで、ゆっくりと吐いてください。一気に吐いてしまうと効果は少なくなります。

これを3回くり返しましょう。ゆっくり呼吸することがポイントですから、全部で10分ぐらいかかると思います。汗ばむほどになっていればＯＫです。

ポイントは、そのときに、やせたい部分に意識を集中すること。「やせたい」という思いが念となって伝わり、その部分の脂肪が燃焼しやすくなります。

また、やせたい部分を大きな鏡に映しながら、この呼吸法を行なうと効果的です。

point 3 スピリチュアル入浴で体の中からきれいになりましょう

体内の毒素を外に出さないと、美しくやせることはできません。

憑依体質の人はとくに、他人の汚れたエクトプラズムを吸収しやすくなっています。これらを体外に出すのに効果的なのが入浴です。

体に汚いエネルギーがたまると、不満がたまり、それが過剰な食欲に結びつきやすいのです。ですから、できれば食事の前にお風呂に入って、汚いエネルギーを洗い流しておきましょう。

ポイントは、毛穴をしっかり開くということ。

毛穴が開けば、汚れたエクトプラズムだけでなく、体の老廃物も排出されます。ダイエットや美肌づくりに効果があるだけでなく、除霊効果もあるのです。

また、食事前にお風呂に入るのは、そのあとの食べすぎを防ぐ効果もあります。食事前にゆったりとお風呂に入りましょう。

というのは、カラスの行水では効果がないからです。一度、湯船につかって温まり、外に出て体をていねいに洗ったら、もう一度、湯船で温まる。これを最低2回はくり返しましょう。

やせるためには、できるだけ多く出入りをくり返してください。

腕を洗っては湯船に入り、足を洗っては入り、というように、部分洗いをしながら出入りをくり返すと、毛穴が十分に開きます。また、それだけで運動したのと同じ効果があるぐらい、体力を使います。その意味でも、これはダイエットにピッタリの入浴法なのです。

バスタイムで細胞から生まれ変わる――スピリチュアルな入浴時間は、まさに魔法の時間です

きれいになるには食事前、疲れを癒すなら寝る直前がいい

この本の中で、何度も触れてきたように、バスタイムは、心身の健康と癒し、美容にとって、本当に大切な時間です。まさに「お風呂で生まれ変わる」ほどの効果があると考えてください。

実は、入浴は入る時間によって効果が若干違います。

基本的に、ダイエットが目的なら前述したスピリチュアル・ダイエットのための入浴法を、毎日続けていただきたいのですが、疲れをとるためには、寝る前の入浴のほうがいいでしょう。

スピリチュアル入浴の方法

のぼせない程度の温度のお湯で、半身浴をしてください。汗が出て、ジワーッと毛穴が開いていくのを感じながら入りましょう。

入浴のポイントは、ともかく毛穴を開いて、汚れたエクトプラズムを外に出すことです。これを忘れないでください。毛穴が開いたら、次に、肌を傷つけないやわらかいタオルで、頭から爪先まで、毛穴を掃除していくようなつもりで洗いましょう。

肉体はたましいの乗り物です。洗うときは、自分の体をていねいに、慈しむような気持ちで洗ってください。

塩で体を洗うのも、疲れをとるには効果的です。

ただ塩で洗うというのではなく、毛穴を開いて掃除をする、という意識でやってみてください。せっけんで洗ったあと、塩で洗ってもいいし、塩だけでも十分です。

お気に入りの車をていねいに洗うように、自分の肉体も愛情を持って、きちんとメンテナンスをしてあげましょう。愛されていない車と愛されている車は見ればすぐわかるように、愛されている肉体もすぐにわかります。

また、洗うときに自分の体をよく見るようにしましょう。その習慣がついていれば、体調に変化があったとき、早期に発見できる場合もあります。

最後に、冷水を浴びてください。毛穴を開いて、汚いエクトプラズムをすべて出したあと、冷たい水でもう一度クリーニングするのです。入浴で毛穴が開き、肉体のあらゆる部分がゆるんでいますから、最後に冷水を浴びてロックする、という意味もあります。こうすることで、汚いエネルギーを再吸収するのを防げます。

また、冷水を浴びると、肌を引きしめてたるみをなくすという美容的な効果も期待できます。肩こりにも、とても効果があるようです。

癒しの効果をさらに引き出すためのポイント

リラックスするためには、入浴剤を入れるのもいいでしょう。

本来、山の水をお風呂に汲み入れることができるなら、入浴剤は必要ないのですが、都会ではなかなかそうはいきません。そのかわりとして、入浴剤を入れてみましょう。

「○○の湯」というように温泉成分をうたったものもありますが、人工的につくられたものもありますので、要注意です。人工の入浴剤では、あまり効果は期待できません。

スペースに余裕があれば、バスルームに植物を飾るのもいいでしょう。植物のパワーをバスルームに取り入れるのは、とてもいいことです。

そして何より、清潔であることが大切です。バスルームは癒しの場ですから、部屋と同じように、あるいはそれ以上に、きれいにしておきましょう。カビがはえているようなお風呂では、癒しの効果、除霊の効果は期待できません。

お風呂からあがったあとは、少し水分をとり、休息してください。毛穴を開いて、エネルギーを吐き出したあとは、体が疲れているはずです。癒しのCDを聴いたり、軽いメディテーションをしたりして、体を休めることも大切です。

そうやって準備を整えてから眠れば、ぐっすり気持ちよく眠れるはずです。

バスタイムを意識的に充実させることで、心も体も癒されます。その安らぎが、明日のあなたの笑顔をより美しく輝かせるのです。

自分の外見にどれだけ気をつかっていますか？
「きれいになりたい気持ち」は幸運を呼ぶパワーになります

鏡の中のあなたは元気はつらつとしていますか？


美しくなるのは、体にも心にも、とてもいいことです。

鏡の中の自分に満足できるとき、疲れを感じることはありません。

反対に鏡の中の自分が輝いていない、パッとしないと思うときは、ますます疲れて、どこにも出かけたくなくなるでしょう。

自分のオーラ・カラーをファッションに取り入れましょう

ファッションもメイクも、自分がより美しく、心地よくなれるものを自由に探求してください。欠点を思い悩む必要はありません。誰にでもチャームポイントはあるのです。そのよさを生かし、美しくなろうとすることが、あなたの波長を高めます。心身がリフレッシュされて、幸運を呼び寄せるのです。

人にはそれぞれオーラカラーがあります。暗いところで、手を横にして両手の指先を合わせたり、離したりしてみてください。じっと見つめると、色が見えてくるでしょう。それがあなたのオーラカラーです。なれてくると、鏡で、自分の頭の後ろに後光のように出ているオーラの色が見えるようになることもありますから、試してみてください。

基本のポイントとしては、自分のオーラカラーを上手に使うことです。自分のオーラカラーを身にまとうと、その人がよりいっそう引き立って見えます。

ただし、むやみにオーラカラーを取り入れればいいというわけではありません。オレンジが自分のオーラカラーだからといって、全身オレンジにしたらセンスを疑われることになりかねません。

たとえば、インナーをオレンジ色にして、ジャケットの下から少し見えるようにしたり、バッグやベルトなどの小物に、さし色として使うようにしてみましょう。ファッション雑誌などを読めば、センスアップの方法はいくらでも学べますから、面倒がらずに、工夫してみてください。

洋服は、自分に似合うものがもちろんベストです。流行を少し取り入れながら、自分が着ていて心地いいもの、楽しい気分になれるものを選びましょう。

冬場のノースリーブはスピリチュアル的におすすめできません

何を着てもいいのですが、最近の洋服がシーズンレスになっていることだけは気になります。

季節感は、ファッションにおいては、とても大切です。

昔は、着るものの素材や形は、そのときどきの季節感をよくあらわしていました。たとえば、夏は麻の素材のものを着て、上手に熱を逃すなどの工夫をしていました。季節ごとに、体がもっとも快適に感じるものを選んで着ていたのです。

なかでもとくにすぐれているのが着物です。冬は袷《あわせ》を着て暖かく、夏は一重で涼しげに。柄も、春は桜、秋は紅葉などで、季節を繊細に表現しています。

ところが、今は冬でもノースリーブなど薄着をする人が多くなっています。いくらどこでも暖房がきいているとはいえ、体は冷えます。健康のためだけでなくスピリチュアルな立場からも、決していいことではありません。

季節感を無視したファッションは一見おしゃれかもしれませんが、自然の持つエネルギーを取り入れにくくなるという欠点があるのです。

また、直接肌につける下着については、自然素材の麻や木綿のものにするほうがいいでしょう。下着の素材など、たいして影響はないように思われるかもしれません。けれど、毎日肌に触れるものが、人工的なものか、それとも自然の中で芽生えて育った植物のパワーに満ちたものかで、まったく違います。

そういう何気ないところにも心を配り、ていねいに選ぶところから、心身のすこやかさ、美しさが育まれていくのです。

カラダの不調を整える時間

Part 4

病気を癒す
スピリチュアル・ヒーリング

この章では、私たちを悩ます体の諸症状（病気やケガなど）について、またそれを癒す方法（スピリチュアル・ヒーリング）についてお話しします。

スピリチュアル・ヒーリングとは、パート2でも説明したようにスピリチュアル・ワールドからのサポートによって病気を癒すことをいいます。ガイド・スピリットの中でも医療分野に強いスピリット（スピリチュアル・ドクター）に私たちのたましいと体を癒してもらうのです。

ただし、いわゆる「手かざし」（能力のある人が、痛む部分に黙って手をかざせば癒される）とは違います。

スピリチュアル・ヒーリングでは、癒される側にも自分自身を見つめ反省する「内観」と、「私がよりよく生きるための力を貸してください」という祈りが必要です。このことを、まず知っておいてください。

人はなぜ病気になるのか？

人はなぜ病気になるのかを、スピリチュアルな見地から見てみましょう。

人は、肉体だけの存在ではありません。

肉体と幽体（スピリット・たましい）とが重なりあって存在しています。

病気は、このふたつが不調和を起こし、ズレてしまうことから起こります。

では、どのように肉体とたましいの調和が乱れるのかというと、次の3つに分けられます。

肉体の病……（「少し休んだほうがいいですよ」というメッセージ）

これは、肉体を酷使したことから生じるものです。たとえば残業が続いて、睡眠時間が3時間しかないような毎日を過ごしていると、疲労が蓄積するのは当然です。やがては大病につながる場合もあるでしょう。そんなときに患う病気は、「体を使いすぎていますよ」「休みをとりなさいよ」という警告です。

カルマの病……（「もう一度頑張って」というメッセージ）

「自らまいた種は自らが刈りとる」というカルマの法則にもとづいて起こるものです。たとえば、弱気になっているときに風邪をひきやすいのは、カルマの法則によります。ネガティブな波長が、病を引きよせたのです。

カルマの法則というと、怖いものと思われるかもしれませんが、実はこれは愛の法則なのです。なぜなら、私たちは本来、完璧を望んでいる存在です。意識していないかもしれませんが、できるだけ神に近づきたいと願っているのです。

もちろん、そのために、日々悩んだり苦しんだり、過ちをおかしたりの連続です。けれど、何度過ちをおかしても、この法則があるからこそ、私たちは気づくことができるのです。自分のしたことが原因となって、病を得たとき、それは「またやっちゃったね。でも、もう一度頑張って」というメッセージなのです。

何度、過ちをくり返しても、私たちが見捨てられることはありません。何度でも気づくチャンスがあるのです。これが、「カルマ＝愛の法則」のゆえんです。

たましいの病……（私たちに与えられた「人生で克服すべきテーマ」）

私たちは生まれながらに、寿命が定められています。寿命を迎えたとき、そのきっかけとなる病気（あるいは事故）は「たましいの病気」です。これは、そのときが来たと受け入れるしかないものであり、その覚悟が必要とされる病です。

寿命にかかわる病以外にも、私たちは、体のどこかに弱い部分を持って生まれてきます。先天的な障害などです。

たましいの病は、いわば、その人にとって克服するべきテーマでもあります。

病や障害を克服しようと努力することで、別の道を生きることができるようになったり、人生を大きく輝かせることもできるでしょう。その中で、たましいが強く豊かになるチャンスを秘めているのです。

また、何らかのメッセージを私たちに伝えるための病も、この中に含まれます。

たとえば「今は動くのを待ちなさい」というストップのメッセージを送るために、その人を病気にする場合があります。

私自身、声帯ポリープになって、音楽大学の社会人入学を一年、待たされたことがありますす。そのおかげで、とてもいい先生につくことができて、歌を私の人生の喜びのひとつに加えることができました。ポリープができたことは、私にとっては、不幸ではありませんでした。

そんなふうに、時機をうかがったり、日頃忘れている健康への感謝の思いをよみがえらせるための病も「たましいの病」といえます。

あなたへの「メッセージ」がわかる3つの質問

肉体の病、カルマの病、たましいの病は、実際には、いくつかが重なりあっていることが多く、判断するのは難しいのですが、おおよその目安を書いておきます。

自分に無理をしていませんか?

まず肉体の病ですが、これは自分の日常を振り返ればわかります。

働きすぎていたり、睡眠不足だったりしたとき、それが引き金になって、体調を崩すのです。

ただし、こんな場合があります。

たとえば、疲れて帰ってソファでそのまま寝てしまったために風邪をひいたとします。これは、肉体の病ですが、同時にカルマの病でもあります。

「きちんと自己管理ができていなかった」というカルマが返ってきたのです。

同じ症状をくり返していませんか?

次に、カルマの病ですが、これは「くり返し、同じ症状が出やすい」という特徴があります。慢性疾患になって、治りにくかったりもします。

たとえば、口内炎ができやすいという人は、口汚く人をののしるクセがないかどうか、考えてみてください。

単なる食べすぎや、口の中の傷が原因の病の場合もありますが、何度も口内炎ができるときは、要注意です。

「口に気をつけなさいよ」というメッセージである場合があるのです。

このことは、なかなか自分では気がつきません。誰でもみんな自分がかわいいので、「そんなことない」と素直に反省することができないのです。それに気づかない限り、何度でも同じ症状が出てきます。

くり返しますが、カルマは決して天罰などではありません。早く気づきなさいよ、という愛のメッセージです。ですから、素直に、冷静沈着に自分を見つめてください。大人の感性で判断しましょう。

病気をただ「不幸だ」とばかり考えていませんか?

次にたましいの病ですが、これは常にスピリチュアルな世界とのつながりを意識していれば、判別できると思います。

つまり、「この病やケガは、何を私に伝えるためのメッセージなのか」という見方をしていくことです。周囲の状況をよく見つめたり、真剣に自分の心を内観したりしていると、これがわかってきます。

ただ、病気になったことを「不幸」としかとらえられなかったり、その事実を受け止められなくて、ネガティブな気持ちになっていたりすると、このことがわかりません。

まず、自分の今の状態をありのままに受け入れること。そして、その意味を考えること。そのときはじめて「ああ、時機を待たされていたんだな」「忍耐力が必要だよという意味だったんだな」などとわかるはずです。

ところで、カルマから起こっている病気の中には、その原因を知り、スピリチュアル・ヒーリングを施すことで治ってしまうものもあります。ただ、たましいの病気の場合、どんなスピリチュアル・ヒーリングを施しても、自分自身がその意味に気がつかなければ治りません。一時的に治ることがあっても、根治はしないのです。

以前、相談者の中に、重症の筋無力症の人がいました。

霊視したところ、この方の場合、原因はその背景にある親族の相続争いだとわかりました。その問題から手を引くようにアドバイスし、ヒーリングを施したところ、私のオフィスに来られたときは、車椅子が必要なぐらい弱っていたのに、元気になって歩いて帰っていかれたのです。そういう目ざましい回復例もあります。

しかし、たましいの病気は、まず自分を内観し、メッセージを受けとって、行動をあらためていく——そういうステップを踏まずに治るものではないのです。

以上の3つの病になる原因を克服するには、どの場合でも、早期発見、早期治療が大切です。時間がたてばたつほど治りづらくなります。

こじらせて苦しむ前に、早く体と心の訴えに気づきましょう。

すべてが、あなたへの貴重なメッセージであり、愛なのです。

肉体の病気……痴呆症とどうつきあえばいいか

身近な人が「痴呆症」と診断されたり、実際に介護をしているという人も多いと思います。次第に人が変わったようになっていく様子を見て、いたたまれない気持ちを持つだけでなく、その介護に精根尽き果てる状況もあることでしょう。

痴呆症は肉体の病です。突拍子もない症状が出る場合がありますが、それは、肉体と幽体にズレが生じているからです。

車（肉体）の使用年数が長くなったために、運転手が右にハンドルを切っても、車は左に曲がってしまう、というようなことが起こってくるのです。

スピリチュアル的にいえば、ボケの症状によって、その人の背負ってきた人生が見えてきます。

つまり、過去のトラウマが出てきてしまうのです。

たとえば徘徊するようになる人は、これまでの人生の中で「逃げ出したい」と思うことがあったのかもしれません。食べたことを忘れて、一日に何食でも食べてしまう人は、食べること、生きることに苦労してきたのかもしれません。暴言を吐くようになる人は、長い人生の中で、さまざまなことを我慢しつづけてきたのでしょう。

たとえば、品のいい老婦人が、急に「この野郎」とか「バカ」とかいい出すと、家族はショックを受けるでしょう。

でも、まずは、その方がこれまでどういう思いで生きてきたのかを、どうか心から理解するようにしてください。周囲の人に、それを知らせるという意味が、痴呆症の症状にはあるのです。

「どうせボケているんだから、わからないだろう」などと考えて、いい加減な話をしたり、いうことをきかないからと乱暴したりするのは、論外です。そういう扱いを受けたことは、本人の体は自覚できなくても、たましいが覚えています。

亡くなったあと、肉体は幽体と離れますから、病んだ肉体ではなく、生前のたましいだけがスピリチュアル・ワールドに旅立ちます。そのたましいは、自分に周囲の人がどう接したかをすべて覚えているのです。痴呆症やアルツハイマーなどの症状があられたときこそ、周囲の人のたましいのレベルが試されるのです。

介護をするのは大変なことですが、それを乗り越えることで、またひとつ豊かになれます。すべての病は不幸ではなく、愛あるメッセージだということは、痴呆症についてもいえるのです。

たましいの病気……自分の寿命について、どう考えればいいか

寿命に関しては、簡単に判断してはいけません。

本当はまだ寿命ではないのに、そう思い込んで治療を放棄すれば、助かる命も助からなくなってしまいます。

寿命とは、最後の最後まで努力をして、そのうえで判断するものです。

たとえばガンを宣告されたとします。

そのときは、誰でも気持ちが萎えてしまうでしょう。まったく平常心でいられる人はほとんどいないと思います。けれどすぐに「もうダメだ」と決めつけるのではなく、最後まで最善を尽くすことが大切です。

治すために努力するだけでなく、万一、死が避けられないものであっても、残りの時間をいかに大切に、有意義に過ごすかに心を砕かなくてはいけません。

「どうせ死ぬんだから……」という投げやりな考え方では、せっかく生まれてきた意味がないのです。

残りの大切な時間をいかに過ごすか、真剣に考えることで、今まで以上に輝く人生を過ごすことが必ずできます。あきらめは禁物です。

心がネガティブになっているときは、こんな注意が必要です！

今のあなたの体調は「心の体調」のあらわれです

人生で起こるすべてのことは、自分に責任があります。

誰のせいにもできません。

これは、スピリチュアリズムの基本的な考え方のひとつです。

いわゆる「霊障」といわれる症状にもこれが当てはまることがあります。

「憑依《ひょうい》」とか「霊が憑《つ》く」といわれる状態で、たましいの病のひとつといえますが、これは憑依された人自身にも責任がある場合が多いのです。

よくテレビ番組などで、霊能者が除霊をしているのを見て、怖いイメージを抱いている人も多いでしょうが、恐れるようなものではありません。というのは、霊障とは、自分の波長が下がっているとき、波長の法則で、似たような低い霊を呼び寄せるから起こる現象なのです。自分がポジティブで、前向きな心を持っていて、元気でパワフルなら、絶対に憑依は起こりません。

すべてを自分以外の責任にして、自分の本当の心を内観できない人、憎しみや妬みなど、ネガティブな思いに縛られている人は、波長が低くなっています。そういうときは、確かに憑依を受けやすい状態ではあります。

けれど、そのようなときも「被害」としてとらえないでください。憑依とは、「心の隙」にしのび込む現象です。隙がなければ、起こりません。

ですから、まず内観してください。憑依された原因は、自分の波長の低さにあると認識してください。

「憑依さえも自分の責任だなんて怖い」と思う人がいるかもしれません。

けれど、自分が全責任をとるということは、いいかえれば「自分の人生は自分自身でつくっていける」ということです。自分の思いひとつで、人生は変えられるのです。人まかせの人生などありえません。だからこそ、すばらしいのです。

その喜びを感じてください。

よくない何かにたましいを冒されていると感じたら……

もしかすると霊障かもしれないと思うとき、判別する方法としては、まず初期段階に寒気がすることがあげられます。とくに首から下、背中のあたりに悪寒がします。

次に、目がうつろになります。そして、自分が自分でないような行動をとることもあります。たとえば、食べ物の好みが変わったりすることも、そのひとつです。

このほか、いつも肩が重いという症状もあります。肩こりとも違う、のしかかるような重さがあり、頭も重くなります。極端に怠惰になって、お風呂に入るのも面倒になり、不潔になる場合もあります。

これらの症状を、肉体的な病と区別するには、内観するしかありません。

ただ、簡単な判別法としては、たとえば「肩が重い、だるい」という症状があるとき、過労というふうに原因がはっきりしていて、十分に睡眠をとったらスッキリした、という場合は、明らかに憑依ではないことになります。

いくら眠ってもだるさがとれないとき、そして、人から「最近、何か調子悪いんじゃない？」「全然、活気がないね」といわれたりしたときは、霊障を疑ったほうがいいかもしれません。憑依は、本人よりもまわりのほうが気づきやすいのです。

たとえば、失恋などで「死にたい」というネガティブな気持ちになっているときに、たまたま同じような原因で自殺者の出たビルなどに近づくと、フッと憑かれてしまうことがあります。呼び寄せてしまうのです。

あるいは、恋人を奪いあったり、激しいケンカをしたりした場合、その相手が生き《い》霊《りょう》となって憑くケースもあります。霊視すると、背後に生きている女性の顔が見えたりします。

こういう場合は、まず自分自身が深く反省することです。

そして、本心から相手の幸福を祈ること。

そのうえで、入浴法などで体の中からマイナスのエネルギーを取り去れば、だいたい除霊できます。

また、あなた自身のたましいの成長があれば、それが自然に浄霊につながります。

どんなときも低い波長を出してはいけません。誰でも一時的に落ち込むことはあるでしょう。けれど、いつまでも立ち直らないでいると、さらに不運を呼びよせます。

悪循環に陥る前に、いろんな方法を模索して、高い波長を取り戻すようにしてください。私がこれまでに書いてきたスピリチュアル・シリーズの中には、そのヒントがたくさんあるはずです。

それでも、気になる人のために《軽い除霊法》

自分の生活を振り返り、先にあげた3つのメッセージの場合ではないと感じるときは、次の方法を試してみてください。

もしかしたら、心がネガティブになって同じような波長の何かを引きよせているのかもしれません。

まずは、静かにメディテーションをして、心身を清めましょう。

回復したいという願いが強く、真剣であれば、簡単な方法でスッキリ祓《はら》うことができます。

入浴法

心がネガティブになって軽い憑依を受けた場合、一番有効な除霊方法は入浴です。ゆっくりお風呂に入って、体の芯から温まり、少しずつ毛穴を広げ、汗と一緒に悪いエクトプラズムを放出してください（くわしくは126ページ）。

体の中の悪いものを排出する食べ物のところでもお話ししたように、海の塩には浄化作用があります。ですから、海の塩を入れたお湯につかるのは効果があります。

憑依でなかったとしても、入浴は肉体と幽体の浄化にもつながりますから、「やる気が出ないな」と思ったら、バスタイムを大切にしてください。

呼吸法

まず、おへその少し下のあたり（丹田）に意識を集中し、シューッと音が出るぐらい太く息を吐いてください。そのとき、体の中の悪いものを全部吐き出しているとイメージしましょう。

同時におへそに手を当てて、グッとお腹に気合を入れます。そして、自分のガーディアン・スピリットに「自分の弱い部分は反省します。どうか手助けをしてください」と祈ってください。

最後に、自分の背中を自分でしっかりたたきます。

もう霊に憑かせないぞ、という気合を入れることが大切です。

水晶法

水晶には、邪悪なものを祓うクリーニングパワーがあります。いわばスピリチュアルな空気清浄器です。不快な症状が続くときは、枕の中に水晶を入れて眠るといいでしょう。

発熱法

憑依現象のひとつに、発熱もあります。熱は医学的には菌を殺すために、体が防衛作用として出すものだといわれますが、スピリチュアリズムでは、熱で霊の浄化をはかっているという考え方をします。

ですから、熱が出るというのはとても大切なこと、ありがたいことなのです。高熱で医師による治療が必要なものは別ですが、そうでなければ、無理やり、熱を下げる必要はありません。

ただし、水分はしっかり補いましょう。脱水症状を起こさないためでもありますが、浄化させるためには水が必要だからです。

場合によっては、お風呂に入って毛穴を開いて熱を出し、そしてまた水分を補うというやり方もいいでしょう。ただし、この場合はあまり長湯はしないことです。

自分でできる「スピリチュアル セルフ・ヒーリング」

ここからは、自分で簡単にできるスピリチュアル・ヒーリングの方法を紹介します。疲れを感じたとき、気力が出ないとき、あるいは実際に体のどこかに痛みがあるとき、ここにあげた方法を試してみてください。スピリチュアル・ヒーリングを行なううえで、もっとも大切なのがメディテーションです。

step 1 自分自身を「内観」する

まず最初に、あなたが一番落ち着ける静かな場所を探してください。

そこで精神を集中して、自分自身を「内観」するのです（夜、眠る前に行なうときは、本書の付録『夜、眠る前に聴くスピリチュアルCD』をかけてください）。今の体の不調や痛みにはどんなメッセージがあるのか、自分の日々の生活を見直すことで探っていきましょう。

頑固な態度をとらなかったか、ひがみ、妬み、嫉妬はなかったか、不平不満ばかり口にしなかったか、ものごとを重く考えすぎなかったか……。

痛みや病が何を伝えているのかは、すぐにはわからないかもしれません。同じ痛みでも、いろいろな見方ができるからです。

たとえば「目が痛む」といっても、「見たくもないものばかり見ている」場合もあれば「自分の人生をしっかり見通せていない」場合、「欲目でものを見ている」場合など、いろいろ考えられます。

基本的には、ここにあげたものを参考にしていただければ、次第に判別がつくようになるはずです。「私にはそんなところはない」「私には問題ない」と、つい甘く考えてしまいがちですが、反省すべき点がない人はいません。

私たちは、みんな落ちこぼれた天使です。課題を克服するために、この世に生を受けたのです。自分勝手な判断、自分に都合のいい解釈をしないで、「ああ、これだ」とハッと気づくところまで内観していきましょう。そこまで自分が見えてこそ、本当の癒しになるのです。

このとき、音楽をかけて、「音霊《おとたま》」の力を借りてもいいでしょう。ヒーリングを助けるのは、アップテンポのうるさい音楽ではなく、霊的な微細な波動に合う、ゆったりとした音楽です。小鳥のやさしいさえずりや川のせせらぎの音などは、霊的波長とよく合います。

step 2　ガーディアン・スピリットと対話をする

内観して、自分の反省ができたら、次にガーディアン・スピリットに、「念」を送ってください。誰かとコミュニケーションするように、声に出すといいでしょう。たとえば、頭が痛いときは、次のようになります。

「私は今、頭がとても痛みます。内観しましたが、おそらくハイテンションが続いてオーバーヒートしているからでしょう。反省したいと思います。どうかこの頭痛がおさまるように、スピリチュアルなエネルギーをお送りください」

もちろん、頭痛の原因は人それぞれですから、内観によって見えてきたことを伝えてください。そういいながら、頭の痛みのある部分と、おへその上に手を当てます。

両手でも片手でもかまいません。

おへそは、すべての肉体と幽体の一番のつなぎ目になる部分ですから、どこが痛む場合でも、おへそは必ず押さえるようにしてください。最初に痛む頭を押さえて、次にお腹でもかまいません。

このとき、自分の「手」を利用して、「どうか癒しのパワーを与えてください」と依頼するのです。

この「思い」がもっとも大切です。極端なことをいえば、手をケガして使えない場合でも、「癒してください」という想念さえあれば、伝わります。

step 3 心からリラックスする

そうして、あとはゆったりとリラックスしてください。

ただし、治るかどうかはスピリチュアル・ワールドに判断をゆだねることです。

すぐに治ったり、治らなくてもなんとなくラクになったりしたら、あなたの思いがスピリチュアル・ワールドに理解され、協力が得られた証拠です。

一方、ラクにならなかった場合、「こんなことしたって無駄」というように、ついネガティブな気持ちになってしまうものですが、治らないのは「まだ考えることがあるよ」というスピリチュアル・ワールドからのメッセージです。

そんなときは、もう一度、内観してみましょう。

「まだ自分をきちんと見つめていないのかな。それとも、ただの肉体の疲労だから早く寝なさいということなのかな」というふうに考えてください。

自分自身のインスピレーションで、今、自分がどういう状態にあるのか、気づくことが大切なのです。

そのためには、静寂の中で、たましいの声にじっと耳を傾けることです。あわただしく、なんでも機械的にものごとを考える人には、たましいの声は届きにくいのです。

また、どこかが痛みはじめてようやく自分を振り返るのではなく、できれば日頃から、自分自身の心と体を見つめ、ていねいに日々を過ごすことが大切です。

大切な人のための「スピリチュアル セルフ・ヒーリング」

自分の子どもやパートナー、両親など、家族の中に病人が出たとき、あるいは友人が病気になったとき、一刻も早く治してあげたいでしょう。

病院へ行くことをすすめたり、薬を飲ませたりするだけでなく、スピリチュアルな方法で大切な人を癒す方法を紹介します。

step 1 心が落ち着く音楽を流す

まず、病人の気持ちが落ち着くような音楽を静かに低く流しましょう。音には、霊界のエネルギーを伝える音霊《おとたま》があるからです。もちろんケースバイケースで、相手が一番落ち着く方法をとってください。

step 2　そばに花を飾る

ベッドのそばには植物を置きましょう。とくに具合が悪い人には、緑よりも花がいいでしょう。花にはフェアリー（精霊）がたくさん集まってくるからです。このフェアリーは臆病なので、気の強い人のそばには寄ってきません。弱っている病人のそばにだけ近づくのです。ですから、病気見舞いにはお花がいいのです。

花を飾るとき、贈るときは必ず、「どうぞ、この人を癒してあげてください」と、花のフェアリーに語りかけるようにしてください。その祈りがあるかないかで、効果は違ってきます。また、日中はなるべく病室に日の光を入れ、風を通しましょう。スピリチュアル・ワールドのエネルギーは、光や風にも乗ってくるからです。

step 3　きれいな水を飲んでもらう

そして、病気の人には、できればいつもきれいな水を飲んでもらうといいでしょう。

水は、体内の汚れを洗い流してくれます。たとえば神社からもらってきた霊水は、やはり効果的です。水のフェアリーと、水のエネルギーが体内を浄化していくからです。112ページでも紹介したように、水道水ではなく天然水を。

病人にその自然のエネルギーを与えてください、という願いを込めて、飲ませてあげましょう。

step 4 ガイド・スピリットと対話をする

まず、自分自身が、静かな場所で（病人のそばでなくてもかまいません）メディテーションをしてください。そして、ガイド・スピリットの中で医術に長けたスピリチュアル・ドクターをイメージし、その人に対して一生懸命に祈りましょう。「どうぞ、あの人の病を癒してください」「苦痛を取り除いてあげてください」とお願いするのです。

そのとき、病気の人にさんさんと光が降り注いでいるイメージを描きます。スピリチュアル・ワールドからたくさんのエネルギーが降り注いでくる様子を思い描いてください。

カルマの病気である場合もありますから、そのときは「あの人自身の生き方に何か間違いがあるなら、それに気づかせてあげてください。目覚めさせてあげてくださ い」と祈りましょう。

ヒーリングといっても、思い描くだけでいいのです。ただ、元気な人のオーラには癒しの力がありますから、その力を分けてあげる意味で、痛む患部にそっと手を当ててもいいでしょう。これは、96ページで紹介したマグネティック・ヒーリング（オーラ・ヒーリング）になります。

たとえば、おじいちゃんが膝が痛いというとき、その膝に元気な孫がそっと手を当てるだけで、痛みは軽減していくことがあります。病気やケガで痛むところは、オーラが弱くなっています。それを補うことが癒しにつながるのです。

大切な人を思う気持ち、そして自分自身が元気であること、このふたつが、病気を癒してあげたいときには必要なのです。

今、あなたが受けとるべきメッセージは何？
——体が伝えたがっていること

この項では、病気やからだの痛みが、具体的にどんなことを訴えているのか、部位別に見ていきます。

誤解しないでいただきたいのは、こういう生活態度の人が必ずその病気になったり、その部位に痛みが出たりするわけではないということ。ただ、スピリチュアル的にいうと、こういう可能性もありますよ、ということです。

痛みや病気を通して自分自身を振り返る、そのひとつのきっかけとして、参考にしてください。

また、前に説明したように、手のひらには磁気的なパワーがあり、手のひらを患部に当てたりすることでラクになります。

頭

頭痛

誰かに何かをいわれても「いや、そうじゃない！」とかたくなに自分の意見を変えようとしないとき、頭痛が生じる場合があります。考え方が柔軟ではなく、自我に固執しているときです。

《手当て》　額＋おへそ

まず、痛む部分に手を当てます。全体に痛いという場合は、額に手を当ててください。「治してください」という思いと、自分への反省を込めることを忘れずに。次に、おへそに手を当てて、同じように祈ります。

目

疲れ目

本を読みすぎたり、細かい作業をしたりして、実際に目を使いすぎた場合、目が疲れたり、トラブルが起こりやすくなるのは当然です。この場合は、目を休ませることがまず第一です。
次に、精神面での態度でいえば、ものごとを注意深く見ていないとき、逆にものごとを見すぎているときに、目が疲れやすくなります。たとえば重箱の隅をつつくように、人のアラ探しばかりしているとき、周囲の人のことを詮索しすぎたりしているときです。

《手当て》 目を閉じて、まぶたの真ん中や目頭を手のひらか指でそっと押さえましょう。５本の指で目全体を囲むように手を当てるのも効果的です。

目が痛む、視力が落ちる、結膜炎、かすみ目

人のミスを指摘したり、揚げ足ばかりとったりしているとき、あるいは、見たくもないものばかり見ているときに、こういう症状が起こることがあります。

たとえば、誰かが誰かを憎しみの目で睨《にら》んでいるところを見てしまったり、社内の不正を知ってしまったりした場合です。「見たくない」という思いが、こういう反応になるのでしょう。勘のいい人に起こりやすいようです。

《手当て》　額と後頭部

額は「第三の眼」といわれるところ。

後頭部は「霊眼」といって、たましいの眼がある場所です。「内観の眼」といってもいいでしょう。感性の眼ですから、見たくないものを見ていると、ここが疲れます。目に蓋をするような感じで、ここにそっと手を当ててください。

耳

難聴（突発性難聴）

家庭や職場でトラブルが続き、人と人がののしりあってばかりいる中にいたり、それを仲裁しようとして必死になったりしていると、難聴などの耳のトラブルが起こりやすくなります。

肉体が「聞きたくない」と反応してしまっているのです。

周囲のできごとを取捨選択して、必要なものは聞き入れるけれど、必要ないものは聞き流す。そういうことができない人、悩みやすい性格の人に多く見られるようです。

耳鳴り

毎日が忙しく落ち着きがないとき、そのザワザワした感じが耳鳴りとなってあらわれることがあります。時間の濁流に流されていて、内観ができていませんよ、という警告です。たましいが「いやだよ、落ち着きたいよ」といっているのだと考えてください。

《手当て》　耳たぶの後ろ側、耳とあごの間ぐらいのところを指でそっと押さえましょう。どの指を使ってもかまいません。指先からエネルギーが耳の中に入っていくようにイメージしてください。

鼻

鼻がつまる（鼻の通りが悪くなる）

「わからず屋」になっているとき、鼻にトラブルが起こりやすくなります。

たとえば、人のいうことに対して、不満ばかり抱いて納得できなかったり、自分が悪いのはわかっているのに、素直にうなずけなかったりするときです。つまり、スキッとさわやかに「わかった！」といえないとき、鼻がつまることが多いのです。

また、「鼻高々」という言葉があるように、鼻はプライドをあらわすところです。傲慢になっていたり、うぬぼれて自慢話ばかりしているようなとき、鼻がつまることがよくあります。

あるいは、嫉妬心でいっぱいになったり、ひがみっぽくなっている場合も、鼻にきます。

鼻がつまると、しゃべりにくくなります。それは「自慢話ばかりしているよ」「愚痴が多いよ」という警告かもしれないと考えてみてください。

鼻がたれる

「気取っていて鼻持ちならない」といわれるように、外見を気にして見栄を張っているとき、鼻水が出ることがあります。そういう形で気取りを警告されているのです。

アレルギーによる鼻水は、人を嫉妬したり、妬んだりしている自分自身への嫌悪感が原因のこともあります。

基本的にアレルギーを持つ人は、現世そのものに嫌悪感を抱いている場合が多いのです。人間関係に嫌気がさしていたりします。

昔はアレルギーが少なかったのですが、それは今ほど人間関係がギスギスしていなかったからかもしれません。

また、嫌悪感が強くなると、自分自身への拒絶感も出てきます。そうすると、自分を大事にすることができなくなってくるのです。食事にも気をつかわなくなって、ジャンクフードやファストフードばかりを食べたりします。

アレルギーになるということは、食生活にも気をつけないといけませんよ、というメッセージです。食という生きることの基本をあなどらず、重視しなさいよ、ということです。

《手当て》　鼻の付け根（目頭の少し下あたり）に、そっと両手を当てます。鼻をかむような感じでいいでしょう。

あご

顎関節症

ものごとに対して、不平不満が多く、自分の中でうまく咀嚼《そしやく》できないとき、あごのトラブルに見まわれることがあります。

呼吸器

喉の調子が悪い

喉にトラブルがあるときは、まず、あなたの言葉に原因があることが多いようです。

たとえば、口数が多すぎて人を傷つけていたり、少なすぎて必要なことを伝えていない場合です。

あるいは、不平不満、悪口、「私なんてダメ」といったネガティブなことばかりいっているときも、喉のトラブルが多いでしょう。

また、自分の置かれている状況をうまく飲み込めない、納得できないという場合も、喉にきます。たとえば会社で部署が変わって、それが悔しくて仕方がないのに、表面的にはニコニコ笑っているようなときです。

内心、なぜ異動になったのか納得できず、「私はこんなに頑張っているのに、なぜ私だけがこんな目に？」などと、つい不満に思ってしまいがちです。

異動になるには、なるだけの理由があります。会社のせいにせずに、自分の内側をよく見つめていれば、腑に落ちる解答が見つかるはず。それをせずに、ただ不満を感じていると、喉のトラブルはおさまりません。

咳

伝えたいことがたくさんあるのに、それがうまく伝えられないとき、咳が出ることがあります。吐き出したい思いやストレスがあるのに、それができない場合です。

息がつまる

やきもちを焼いて、恋人や友人を縛ろうとしているとき、あるいは「こうでなければ」という気持ちが強すぎて、人も自分も許せないとき、呼吸器にトラブルが起こることがあります。息苦しくなったり、息がつまったりしやすいのです。

消化器

消化不良／便秘／下痢

お腹の中に、不平や不満をため込んでいるとき、それでも嫌われたくないから黙って文句をいわず、いい顔をしているときは、消化器系にトラブルが起きやすくなります。

《手当て》 以上、あご、呼吸器、消化器の症状の場合、おへそに手を当てるだけで十分です。ものごとを咀嚼できなかったり、状況を飲み込めなかったりするのは、たましいの問題です。幽体と肉体のつなぎ目であるおへそに手を当てるだけでいいのです。

同じ原因でも、症状が出る部位はさまざまです。薬で治しても、また別の場所に出るでしょう。一番大切なのは、たましいにある本当の原因を見極めることです。

皮膚

できもの

ひとつのことに悩みすぎて、神経を使っている場合、根をつめて考えすぎて、霊的に消耗している場合、皮膚疾患になることがあります。考えすぎることによって、毛穴がつまるのです。

アレルギーによる皮膚疾患は、根底に人や社会に対する拒絶感がある場合が多いようです。「肌に合わない」と思っているのです。

《手当て》 疾患のある部分を手でそっと押さえましょう。次におへそを押さえてください。これをくり返します。また、ゆっくりと入浴して、毛穴を開き、汚れたエクトプラズムを外に出すことで、回復する場合もあります。

肩

肩こり

仕事や人間関係で気負いすぎているとき、ものごとを重く考えすぎる傾向があるとき、肩がこることがあります。融通がきかず、「世の中には白と黒だけで、グレーはない」などと思い込んで、カタブツといわれたりする場合もそうです。

《手当て》 仰向けに寝て両腕をあげ、自分の手先から頭、足に向けて、スピリチュアル・ワールドのエネルギーがスーッと通っていくイメージを描きましょう。それだけで血の巡りがよくなります。ソファに座った状態でもかまいません。そしておへそに手を当てましょう。これをくり返してください。

冷え症

手や足が冷えるのは、やさしさを忘れている場合に多く起こります。人にも自分にも、温かくしていますか？　というメッセージです。

《手当て》おへそに手を当てて、自分で体の中の血流をよくするというイメージを描いてください。自分で血液を押し流すぐらいの強い気持ちで。手足のすみずみにまで、温かいエネルギーが行きわたるように、念じてください。

また、あとで紹介する「毎日の呼吸法」や、「鎮魂法」も効果がありますｃもちろんゆっくりと入浴して、毛穴を開き、体を温めるのもいいでしょう。

内臓

肝臓

肝臓は怒りの臓器です。怒ってばかりいるとき、肝臓に疾患があらわれやすくなります。現実的には、お酒を飲みすぎたり、食べすぎたりすることと連動しています。怒りをため込んで、そのストレスから暴飲暴食に走り、肝臓を痛めてしまうのです。

心臓

心臓は、自分自身の中心です。ですから、生きることに対して不安を持っていたり、焦ったりしているとき、あるいは、ビクビクして気持ちが弱くなっているときに、息切れ、動悸などの症状が出る場合があります。

腎臓

腎臓は、水分を代謝する働きをします。水分をろ過し、不要なものを排出するところです。ですから、気持ちのわだかまりをうまく排出できないとき、あるいは、消化しきれない感情があって、それをうまく切り替えられないときに、腎臓にトラブルが起きやすくなります。

膵臓

膵臓は、インシュリンを分泌して糖分を調節したり、消化を助けたりする働きをします。人生の喜びを消化できなかったり自分の幸せに気づかなかったりするとき、膵臓にトラブルが起きやすくなります。

たとえば、とても恵まれた暮らしをしているのに、それを幸せとは思っていなかったり、素直に喜べないようなときは要注意です。

《手当て》　それぞれの臓器の上に手を当て、次におへそに手を当てましょう。これをくり返してください。

婦人科系

子宮や卵巣など婦人科系の臓器のトラブルが示すのは、「今、母性が欠けていますよ」という警告のメッセージである場合が多いのです。たとえば、人にやさしくできなかったり、ものごとに対しておおらかに構える心の余裕がないときです。

《手当て》　下腹部に手を当て、次におへそに手を当てます。これをくり返してください。

腰

腰痛など、腰のトラブルは「傲慢になっていませんか」という警告ととらえることができます。

「腰が低い」という言葉は謙虚な態度をいいます。人に頭を下げなかったり、自分が一番えらいと思ったりしていると、腰を痛めて、「腰を低く」せざるをえなくなることが多いのです。

《手当て》　腰の痛む部分に手を当て、次におへそに手を当てます。

これをくり返してください。

ケガ

ケガは、基本的に不注意が原因です。ただ、どこをケガするかによって、メッセージがわかる場合があります。

目上の人や、同僚とケンカをするなど、トラブルがあった場合、上半身をケガすることがあります。手をケガするのは、「手を出してはいけないよ」「仕事を広げすぎているよ」といった警告でもあります。

目下の人に対してやさしくしていないとき、足を捻挫したり、腰を痛めるなど、下半身にトラブルが生じることがあります。足のケガの場合は「今、それをしてはいけない」という足止めのメッセージともとらえられます。

《手当て》 トラブルのある部位の上に手を当て、次におへそに手を当てます。これをくり返してください。

今、あなたが受けとるべきメッセージは何？
――心が伝えたがっていること

食関係

過食症／つい食べすぎてしまう

人間には、「気が上がりやすい」タイプと、「気が下がりやすい」タイプがあります。

気が上がりやすい人は、基本的にせっかちだったり、落ち着きがなかったりします。表面的には、いつもテンションが高く、元気に見えます。こういう人はストレスがあると、つい食べすぎてしまうのです。

気が下がりやすい人は、その反対で、ストレスがあると、食べられなくなることが多いのです。

「気が上がりやすい」タイプの人は、実は不安感を強く持っています。どちらかというと、情緒不安定で気が弱い人が多いようです。不安だから、胃の中に食べ物を詰め込むことで、安心感を得ようとしていると考えられます。

忙しくなると、ミスしやすくなったり、物忘れをしやすいという傾向もあります。

《手当て》 食べすぎてしまいそうだと思ったら、まず冷たい水を一杯、飲みましょう。

水道水より、天然水がいいでしょう。これで、活発になりすぎているエネルギーを静めるのです。また、胃の中に水を入れることで、グッと胃を押し下げ、安定感を得ることもできます。すると精神的に落ち着くのです。

次に、大きく深呼吸をしてください。これは食べすぎを防ぐ効果があります。

拒食症／食欲がなくなってしまう

「気が下がりやすい」タイプの人は、ストレスがあると、すぐに食欲が減退し、グッタリ元気がなくなります。

このタイプの人は、猜疑心が強かったり、心配性だったりして、人とのつきあいがどちらかといえば苦手です。

このタイプの人は、まず心に余裕を持つことが大切です。ゆったりする時間をつくり、日々の小さなことにも喜びを感じてください。世の中には楽しいこと、ワクワクすることがたくさんあります。

心配しすぎず、おおらかに構えてください。

食べることは生きることの基本です。食べないと力は出ません。

《手当て》食欲がないときは、おへその上に手を当てて、自分を内観し、ガイド・スピリットに「胃が活発になりますように」と祈ってください。

また、アメ玉ひとつでもいいので糖質をとること。酸味のあるものでもいいでしょう。朝に甘い「おめざ」をいただくのは、朝一番に糖質を取り入れることで、体を目覚めさせ、活力を与えるいい方法です。

食欲がないときに効果的な呼吸法は、「鎮魂法」と呼ばれるものです。これはあとで紹介します。

対人関係

赤面症、あがり症、対人恐怖症、いじめ、登校拒否、出社拒否、不安神経症など

こういった症状で悩んでいる人は、とても過敏なたましいを持っている人です。それなのに、どこか無防備で、自分を守りきれていない場合、いじめられたり、人が怖くなったり、学校や会社に行くのがいやになったりしがちなのです。

あるいは、ある特定の人だけが苦手で仕方がない、ということもあるかもしれま

せん。

　反対に、好きでたまらないのに、その人の前ではあがってしまって、うまく話せない、というケースもあります。


《手当て》　人に会う前に、卵オーラ法（189ページ参照）で、自分のオーラを強化する方法が効果的です。

　家を出る前、会議の前など、人に会う予定のあるときは、必ずこれを実行してみてください。好きな人に会う前も同じことです。

　卵オーラ法は、自分の周囲のオーラを強化する方法ですが、これは人を拒絶するということではありません。自分の心の弱い部分を補強するということです。

　これを行なうと、守られているという安心感が生まれます。素のままの自分を相手にさらすことは、誰でも怖いものですが、オーラを強化することで、上手に自分を演じることができるようになるのです。

心と体を癒し、
ガーディアン・スピリットとしっかりつながる呼吸法

毎日の呼吸法

朝、目覚めたら窓を開けて、外の光や風に触れましょう。庭やベランダに出られればなおいいでしょう。

まず、肩幅程度に足を開いて立ってください。

そして、鼻から息をゆっくりと吸い込みます。これ以上吸えないというところまで吸ってください。

次に、口から細い糸を吐くように、スーッと息を吐いていきます。新鮮な空気が、頭、手、足と、体全体を巡るようなイメージを描きながら、2回ほどくり返します。

卵オーラ法

毎日の呼吸法と基本は同じです。

ただ、自分の吐く息が、自分の周囲にオーラのように張りめぐらされるとイメージしてください。実際に腕を動かして、自分のまわりを卵の殻で囲うようにしてもいいでしょう。最後は、お腹に手を当ててください。ここでオーラをロックするということです。対人恐怖や、あがり症などに効果的な呼吸法です。

鎮魂法

鎮魂法を行なうと、たましいが、よりきれいに動くようになります。

鎮魂とは、「たましいを鎮める」と書きますが、鎮めた結果、よりよく「動く」ようになるのです。

まず、たましいを鎮めて落ち着かせ、幽体と肉体をしっかりつなぎ合わせます。そのうえで活性化させていくのです。まずは落ち着かせないと、自分のたましいのテーマがわからなくなってしまいます。目的意識をしっかりと持つこともできません。

この呼吸法をすれば、気力を失って何もする気になれないときでも、「また頑張ろう」というエネルギーが出てきます。人間関係が弱いという人にも効果的です。

鎮魂法を行なう前に、「ふりたま」という精神統一を行なってください。「ふりたま」というのは、玉を振るということです。

まず、静かな場所を選び、そこで正座をします。両手は、イラストのように、重ねてください。ちょうどおにぎりをにぎるような感じです。

肩には絶対に力を入れてはいけません。肩に力を入れると、ネガティブなエネルギーがきてしまいます。リラックスすることが大切です。

両手をおへその前で、玉を振るように動かします。

そのとき、両手の中に自分のたましいがあるとイメージしてください。難しい場合は、小さな水晶を手の中に入れるとイメージしやすいでしょう。

『《愛蔵版》幸運を引きよせるスピリチュアル・ブック』の付録についている水晶玉が、ちょうどいい大きさです。

ふりたま

そのとき、なるべく頭の中は空白にしてください。

ただ、「私のたましいをきれいに清めてください」と念じるのです。

これを5分ほど続けると、そのとき心の中にあるネガティブな思い、トラウマなどが、すべてきれいに剝がれ落ちていきます。そういうイメージを描けたところで終了です。

さて、「ふりたま」が終わったら、次は鎮魂法に入ります。

まず両足の裏を合わせて座ります。これが基本姿勢です。体のかたい人は、少し難しいかもしれませんが、すぐに慣れるでしょう。両手は、おへその前で、バレーボールでレシーブをするときのように組みます（イラスト参照）。

次に、背筋を伸ばして、鼻から深く息を吸い込みます。

口から息を吐きながら、10数える間に、組んだ両手をおへそからぐるっと水平に回して、再びおへそに戻してきます。そのとき、きちんとおへそに触れることが大切です。

数え方は、普通にいち、に、さん……でもいいのですが、言霊としていいのは昔の数え方です。つまり「ひ、ふ、み、よ、い、む、な、や、こ、と」と数えながら、両手を回すのです。

鎮魂法

最初は一息で10は数えられないかもしれません。そのときは、途中で息継ぎをしてもかまいません。できるようになったら、一息で回してください。

手だけを回すのではなく、上半身全体を大きく回してください。お尻を中心に上半身が円錐になるような感じで、体がやわらかくとろけるように、自然に回すことがポイントです。体がかたい人も、続けるうちにやわらかくなってきます。

これを3回くり返して、ワンクールです。

かなり疲れると思います。最初のうちは2回でいいでしょう。

これを行なうのは朝が一番です。それだけで一日を元気に過ごせます。実はこれは神道の秘法なのです。

スピリチュアルな生き方を実践しようと思うと、理論だけでは不十分です。健康な肉体と健康なたましい、両方が必要です。

虚弱体質の人、食欲がない人などに、この鎮魂法は実に効果的ですから、ぜひ実行してみてください。

（※パソコンをお持ちの方は本書の付録ＣＤで、江原啓之が行なう鎮魂法の動画をご覧になれます。）

現代医学も取り入れながら……

　ここで紹介したヒーリングは、病気や痛みの初期の段階で対処することがとても大切です。本当に大きい病気になってしまうと、薬や手術などの現代医療が必要になってきます。

　スピリチュアルな世界を信じる人の中には、病院の薬や治療、手術などを全面的に否定する人がいます。肉体は自然治癒力で癒すべきであり、メスを使うことは肉体という自然を害することだと考えるからです。

　確かに、薬や手術に頼りすぎるのはよくないでしょう。ケースバイケースですが、熱が出たらすぐに解熱剤を飲む、湿疹が出たらすぐに軟膏をぬる、というように、薬に頼りすぎていると、かえって悪化したり、慢性化したりする場合もあるからです。

　けれど、たとえば盲腸になって、痛みがひどいのに、まだ薬草で治そうとするのはナンセンスです。腹膜炎を起こして手遅れになる可能性もあるのです。

ある程度、病状が進んでしまったら、現代医学を利用することは必要です。どうしても手術が必要なケースは必ずあります。病状がそこまで進んでいるなら、手術で体にメスを入れることも、また「学び」といえます。それによって不自由や痛みを感じることも、その人にとって必要なことなのです。

なかには病院に行かずに、自然治癒力で治しなさいというヒーラーもいます。けれど、「あの人にいわれたから、病院に行かなかった」といっても始まりません。それは責任転嫁です。自分の体とたましいのことは、自分で決めなければいけないのです。

そのためにも内観が必要なのです。今の自分にとって、本当に必要な癒しとは何なのか、それは自分が一番よく知っているはずです。

この本で紹介したセルフ・ヒーリングも、さまざまな選択肢のひとつにすぎません。病院に行かなければいけないほど悪化させてしまう前に、自分自身をより深く見つめ、本当にすこやかな体と心を手に入れてください。

それが、あなたの明日をもっといきいきと輝かせるための第一歩です。

眠りながらたましいを喜ばせる時間

Part 5

スピリチュアル・夢セラピー
——あなたへの「答え」を受けとる方法

あなたは今朝、どんな夢を見ましたか？

夢があなたに伝えようとしていること

私たちは、眠っている間に、いろいろな夢を見ます。好きな人の夢、お金の山に埋もれている夢、いやな上司とケンカをする夢……。

現実の生活で片思いの彼がいるとき、その彼が夢に登場したりすると、「彼も私のことを好きなのかも」などと希望的に考えたりしてしまいます。あるいは「蛇が出てくる夢を見るとお金持ちになれる」などという俗説を聞くと、蛇の夢を見ただけでうれしくなったりするでしょう。

一般的な「夢占い」では、夢のメッセージをそんなふうに暗号的なものとしてとらえ、判断を下します。しかし、スピリチュアリズムでは、夢が伝えてくれるメッセージとは、これとはまったく違うものだと考えます。

まず、スピリチュアルな立場では、夢をどのようなものだと考えているかを、お話ししましょう。

あなたにとって意味のある夢、そうでない夢

夢には、2種類あります。ひとつは、現実をそのまま反映している夢。

たとえば、現実の生活でせっぱ詰まったことがあると、夢の中でも何かに追われたり、息苦しくなったりします。もっと具体的に、たとえば胸の上に重い布団がかぶさっているようなとき、岩に押しつぶされそうになる夢を見たりするのです。

つまり、自分のそのときの心理状況や、そのとき置かれている環境（空間）が見させる夢です。会社で憎らしい上司と対立しているときに、怪物と闘う夢を見る、というのも、この種類の夢といえるでしょう。

スピリチュアリズムでは、この種の夢は重視する必要がないと考えます。なぜなら、夢のメッセージを読み解くまでもなく、現実の生活を振り返れば、夢の意味がわかる

からです。現実が変われば、夢もまた変わっていきます。

それとはまったく違う種類の夢が、スピリチュアル・ドリーム（霊夢）というものです。

ガーディアン・スピリットがメッセージを伝えにくるとき

くり返し書いてきたように、眠っている間、私たちのたましいはスピリチュアル・ワールドに旅に出ています。いわば、たましいが里帰りをしているのです。そこでエネルギーを充塡して、また現実の世界に戻ってくる。そういうことを毎夜、くり返しているのです。

ぐっすり眠って、しっかり里帰りができたときに見る夢が、スピリチュアル・ドリームです。

ただし、スピリチュアル・ワールドはひとつではありません。上層部、中層部、下層部というように3つに分かれています。自分のたましいがどこに行ったかによって、見る夢は異なります。

中層部や上層部というのは、一般に「天国」といわれるところです。「サマーランド」（常夏の島）とも呼ばれます。たましいが安定していると、普通はこのサマーランドに行きます。そこで私たちは、それぞれのガーディアン・スピリットからメッセージを受けとることができるのです。

たとえば、こんな夢を見たという人がいました。

夢の中に亡くなったお母さんが出てきて、「あんた大丈夫？　目の下にクマができているよ」というのです。

夢から覚めて鏡を見ても、目の下にクマなどできていません。どういうことだろうと考えてみると、そういえば最近、なんとなくコンタクトレンズの調子が悪いことに思い当たりました。

忙しかったので、そのままにしておいたのですが、翌日すぐに病院に行ってみました。すると、レンズに傷がついていたのです。「このままつけていると、危なかったですよ」といわれ、胸をなでおろしたということです。

これがまさに夢が伝えるガーディアン・スピリットからのメッセージです。

もし夢を見ていなかったら、少しコンタクトレンズの調子が悪くても、病院に行くのを先のばしにしていたかもしれません。亡くなったお母さんが、この人を見守ってくれていたのです。

こんなはっきりしたメッセージでなくても、たとえば、夢の中で亡くなったおじいちゃんと出会い、楽しくおしゃべりをしたとします。目覚めたときも、心の中がほっこりと温かかった……。

そんな場合は、夢で心が癒されているわけですから、これもメッセージ性のある夢といえます。「少し疲れているから、ゆったりとなごめる時間を持つほうがいいよ」といわれているのです。

ただし、こういうメッセージ性のある夢は、しょっちゅう見るものではありません。本当に伝える必要があるときにだけ見るようになっているのです。

また、夢はほとんど見ないという人も、気にすることはありません。夢も見ずに熟睡できているのですから、たましいがきちんとサマーランドに行ってエネルギーを充塡しているのです。朝はスッキリ目覚めて、パワーが満たされた感じになっているはずです。

わけのわからない怖い夢ばかりを見てしまうとき

私たちのたましいは、眠っている間に、サマーランドに行くといいましたが、ときどき下層部に迷い込んでしまうことがあります。

下層部は、一般に「地獄」と呼ばれているところです。

もっとも、閻魔《えんま》様がいたり、針千本の山があったりする地獄は実際にはありません。地獄とは、レベルの非常に低いたましいが「類は友を呼ぶ」波長の法則で寄り集まっているところなのです。人を憎んだり、だましたり、妬んだりするたましいが寄り集まっているところ、そこが地獄なのです。

現実の世界でストレスがたまっていたり、ネガティブな気持ちになっていたりして、たましいのレベルが低い状態だと、睡眠中にサマーランドに行くことができず、この下層部に迷い込んでしまうのです。そのときの夢は、辻褄の合わない、変な夢です。

苦しかったり、わけのわからない夢の場合もあります。

たとえば泥沼に足をとられたり、何かに追いかけられたり。ひどい場合は、誰かに殺されかかったり、反対に殺したりする夢の場合もあるでしょう。

このような夢ばかり見るときは、現実での自分のたましいがあまりにも低いレベルにある、ということだと考えてください。

「今、あなたのたましいはレベルが低くなっていますよ、生活や生き方を見直しなさいよ」というメッセージなのです。

夢は自分を見つめ直す「きっかけ」をあなたに与えているのです

この世のすべては、自分のたましいの映し出しです。

たとえば「私は霊感が強いから、旅先のホテルでは、よく悪い夢を見るのよね」という人がいます。でも、悪い夢を見るのはホテルに憑《つ》いている霊のせいではありません。自分のたましいのレベルが落ちている、というメッセージなのです。

たとえ本当にその宿に未浄化霊が憑いていたとしても、泊まっている人のたましいのレベルが高ければ、「お見合い」が成立しません。自分のたましいが低いから未浄化霊と波長が合ってしまうだけのことなのです。

その夢が、何をあなたに伝えようとしているのかは、自分自身を振り返ってみれば、わかるはずです。夢を、自分を見つめるきっかけにすればいいのです。そうすることで、毎日の生活が変わり、前向きな心を取り戻せます。

夢に蛇が出てきたから金運アップ、などと単純に考えていてはいけません。夢は、それに一喜一憂したり、現世利益《げんせりやく》に利用するべきものではなく、自分のたましいを振り返り、より豊かにするためのきっかけのひとつ。そう考えて、ゆっくり眠りにつきましょう。

メッセージに気づきやすくなる「夢日記」をつけてみよう

不思議な夢を見たとき、「これはどういうメッセージなのだろう」と、気になることはありませんか?

けれど、スピリチュアルな夢のメッセージの場合、その場で意味を追究したり、無理に判断したりする必要はありません。

スピリチュアルな世界は、現世と違って時間がない世界ですから、夢のメッセージは、必ず現在のことをいってくるとは限らないのです。少し先のことを伝えてくれる場合もよくあります。

ですから、「この夢、いったい何のこと？」と不思議に思ってしまうことがあっても、わからなくてもいいのです。それが本当に伝えなければならないメッセージなら、いつか必ずわかります。わかるように伝えてくるものだからです。

気になる夢を見たときは、焦って意味を求めるよりも、まず日常生活を見直してみましょう。

今の自分のあり方は間違っていないかどうか。

心の中にネガティブなものが潜んでいないかどうか。

自分で自分の心を内観することがとても重要です。

そしてもし「このままではいけない」と思い至ったなら、日々の生活や考え方、人間関係などを具体的に変えていく努力をしましょう。

そして、ぜひ、夢日記をつけてください。

「夢の中でAさんに会った」

「Bさんと親しく話をした」

など、ほんの一行程度でかまいません。

それを続けていると、あるときフッと「もしかしたら、あの夢はこのことを伝えていたのかもしれない」とわかるときがくるのです。夢の記録をつけていないと、忘れてしまいますから、そういう気づきが起こりにくいでしょう。

夢日記をつけて、ときどき、それをパラパラと読んでみる。すると、自分の心や周囲の変化、その意味がよく見えるようになってきます。

メッセージ性の強いスピリチュアル・ドリーム

不思議な偶然で気がついたこと

具体的に、私が見た強いメッセージ性のあるスピリチュアル・ドリームの話をしましょう。

ある夜、夢の中で私は屋根を突き抜け、夜空に舞い上がりました。

そして、フッと違う空間に入っていったのです。私のガイド・スピリットが先導してくれているのがわかりました。

次に私は、ある池の中に祀《まつ》ってある弁天様の鏡から飛び出してきたのです。ふと見ると、その池の中には、大きな竜がいて、悠々と泳いでいます。驚きました。

そこは神社なのですが、とても簡素で、この世にはないような雰囲気でした。下世話な立て札や柵などは何もありません。ただ、森の中に池と神殿のようなものだけがあるのです。

私は、その本殿に入りました。そこには大きな鏡があり、私はその鏡から吸い込まれるようにして、こちらの世界に戻ってきたのです。

とても不思議な夢で、目覚めたあとも、神社の様子、竜の動き、ウロコの一枚一枚まで、はっきりと覚えていました。

不思議な夢をガイド・スピリットが見せてくれたな、と思っていたのですが、その後、偶然に大宮にある氷川神社に行く機会がありました。入って驚きました。夢とまったく同じ景色だったのです。

夢の中の神社のほうが簡素でしたが、「ああ、ここだ」と思いました。はじめて行く神社でしたが、夢の中で先に行っていたのです。

氷川神社は、スサノオノミコトを祀る神社です。スサノオは、力の強い荒ぶる神。その神とのご縁をガイド・スピリットからいただいたのだなと思いました。

私がガイド・スピリットから受けたメッセージ

この夢を見たのは、15年ぐらい前のことです。

その頃、私には悩みがありました。霊能者として生きていくことは決めたものの、除霊ができなかったのです。憑依《ひょうい》的な体質が強すぎて、しょっちゅう体調を崩してもいました。周囲に少しでも悪いエネルギーの人がいると、自分も熱を出したりしていたのです。

このままではいけないと思い、悪いエネルギーに負けないだけの強さを持つために、ひとりで滝行を始めました。

真夜中にろうそくの光だけを頼りに、滝に打たれる修行です。ひとつ間違えば命の保証はないような水流の多いところで、たったひとり、滝に打たれる。その行をすることで、心身を浄化し、強くなろうと思ったのです。

そういう努力を続けているときに、この夢を見たのです。この夢は、「お前の修行はわかった。もう大丈夫だよ」と教えてくれていたのでしょう。

実際、この夢を見てから、私の霊質は強くなり、除霊もできるようになりました。以来、私の守護神はスサノオノミコトだと思っています。

けれど、夢が私を変えてくれたわけではありません。夢が何かを解決してくれるわけではないのです。あの頃、私が怠惰に流されて何も努力していなければ、こういう夢は見なかったでしょう。

日々の生活の中で自分を内観し、滝行で自分を清め、強くしようとした、その延長上に、この夢のメッセージがあったのです。

メッセージを正しく受けとるために

自分の目標をしっかり定め、自分の人生をより深めよう、高めようとしているときに、その結果として夢が何かを伝えてくれることがあります。

それが、安らぎを与えたり、高いご神霊とのご縁を結んでくれたりする場合もあるでしょう。けれど、夢がタナボタ的に幸運を知らせてくれることはありません。

夢から何かを得ようとするのは、無意味なこと。

あくまで、あとになって気づかされるのが、夢のメッセージです。

夢から何かを得ようとするよりも、それをひとつのきっかけにして、あなたの毎日を振り返ってみてください。

そうすることではじめて、夢のメッセージを正しく受けとることができるようになるのです。

癒しの力があるスピリチュアル・ドリーム

すでに亡くなった父親に会う

私自身の夢で、もうひとつ、印象に残っているものをお話ししましょう。こちらは、特別なメッセージ性はないけれども、心が癒されたという夢の例です。

あるとき私は夢の中で、田舎町に行きました。そこは工芸職人の町でした。足袋《たび》職人や、飾り細工職人など、一軒一軒が工芸品をつくっているのです。平屋の民家が立ち並んでいて、まるで江戸村のような雰囲気でした。私の長男も一緒にいました。家に入ると、その証明書がもらえるので、まるでスタンプラリーのようです。そして、その町を案内してくれたのは、すでに他界していた私の父親でした。

私たち三人は、工芸職人の町を出て、温泉に行きました。

温泉宿には、女将さんがいて、一生懸命に仏様の話をしています。それを聞いていた父親が私に、「信仰というものは、あまり熱心にやりすぎると、ああいうふうに考え方が偏ってしまうんだぞ」というようなことをいいました。信仰があればなんでも完全に理解できると考えるのは偏っているぞ、というのです。

それから三人で温泉に入りました。といっても、お湯があるわけではなく、ただ湯船に入るだけで、温泉に入っている気分になれるのです。スピリチュアル・ワールドでは、物質がなくても、その本質は味わえるということなのだなと納得しました。

さて、温泉を出て歩いていると、いきなり雪景色に変わりました。そこに、レンガ造りの家があります。それは建設途中で、ひとりのおじさんが、レンガを重ねて家をつくっています。「どうしてこんなことをしているのですか」と聞くと、「実は、自分が生きていたときに、娘に何もしてやれなかった。自分が死んでから、現世で生きている娘が家を欲しがってね。だからその娘を思ってつくっているんだ」といいます。

もしかすると、こういうスピリチュアル・ワールドの人の思いが現世に伝わって、現世で娘さんが家を建てることができるのかもしれないと思いました。つまり、スピリチュアル・ワールドにいる人も、今ここで生きている私たちも、平行して存在しているんだなと思ったのです。

やがて、私たちは合掌造《がっしょうづく》りの家に着きました。玄関をギーッと開けると、そこにはいろりがあって、亡くなった私の母がいます。母は私の長男の面倒をみるといってくれました。父が「2階でちょっと話をしよう」というので、2階へ行くと、そこは、ゴザ敷きになっている木の部屋でした。スリッパだけはなぜかヴァレンチノ、というミスマッチに、少し笑いました。そこで私は、父といろいろな話をしたのです。

といっても、私が一方的に今までのすべての不満をいいつのっていました。

「お父さんもお母さんも、ふたりとも早く死んじゃって、僕を放っとくから、こんな苦労したんだよ」といった甘えたことを、さんざんいったのです。それを聞いて、父は困り果てた顔をし、それを聞きつけた母は泣きながら家から出ていってしまいました。そこで夢は終わりです。振り返ってみると、なんだか親不孝な夢でした。

夢が今の自分を癒してくれる

その夢を見た時期、私はとてもストレスがたまっていました。仕事、人間関係、その他さまざまな悩みを抱えていたのです。そんなときに夢の中で、親に甘え、わがままをいうことで、そのストレスを発散し、結果的に癒されたのだと思います。

こんなふうに、今が苦しいとき、つらいときに、夢がそれを間接的にやわらげてくれる場合もあります。最近ストレスが多いなと感じたら、ぐっすり眠れるよう環境を整え、「どうぞ、安らぎを与えてください」と祈りながら眠りにつくことが大切です。

もちろん、その前に自分を内観して、自分を見つめてください。何が原因で、今の状態になっているのか、それをよく見極めることです。

それができたら、あとはガイド・スピリットにすべてゆだねます、というゆったりした気持ちで、そっと目を閉じましょう。それができたとき、夢の中で懐かしい人に出会ったりして、すっと癒されることがあるのです。

私が見た夢の話には、実は続きがあります。翌朝、長男に聞くと、まったく同じ場所に行った夢を見たというのです。ふたりで一緒にスピリチュアル・ワールドに行っていたのでしょう。もしかすると両親が、私たちの勉強のために、向こうの世界を見せてくれたのかもしれません。

これから起こることを予知するスピリチュアル・ドリーム

予知夢は、これから起こることへの「心の準備」

メッセージ性のある夢の中に、予知夢と呼ばれるものがあります。これから起こるできごとを知らせてくれる夢です。

たとえば、私が15歳のとき、お葬式に参列する夢を見ました。私が遺影を持っているのですが、ふと見ると、それが母の写真だったのです。いやな夢だなと思ったところで目が覚めました。その後、母がガンの宣告を受けたのです。

これは、はっきりとした予知夢だったと思います。ガイド・スピリットは、誰かの死に対して、心の準備をさせるために、夢で知らせてくれることがあるのです。ただ知らせるだけではなく、しっかりしなさいという励ましの意味もあるのでしょう。

もっとも、15歳だった私は、とても心の準備まではできませんでした。けれど、母が宣告を受けたときには、心を引きしめて、「そういう時期が来たんだ。無駄な抵抗をしても仕方のないこと。これは、母の寿命なんだ」と受け止めることができました。夢で知らされたからこそ、できたことです。

このような個人レベルのこと以外についても、予知夢として見ることがあります。たとえば、旧ソ連が崩壊してロシアになりましたが、あのクーデターが起こる前に、私は夢でそれを見ました。あるいは大規模な地震など、地球レベルのできごとを夢が知らせてくれる場合もあるのです。

予知夢には、「こういうことが起こるから、心の準備をしなさいよ」「うろたえずに、頑張りなさいよ」といった、励ましや警告などの意味合いがあるのでしょう。

テレパシー夢は相手の思いと自分の思いがつながる時間

一方、テレパシー夢（感応夢）と呼ばれる夢もあります。

たとえば、友人が夢の中に出てきて、親しく話をしたりする場合、翌日、聞いてみると、相手も自分の夢を見ていたりする。そういう夢がテレパシー夢です。お互いの意思が通じあっているので、眠っている間に、たましい同士で会話をしているということです。相手も、自分のことを思ってくれているという、ひとつの証になります。

相手がそのことを忘れている場合もよくあります。夢には見ていないけれど、「最近、なんとなくあなたのことが気になってた」という場合もあるでしょう。

人間のつながりは、直接会ったり、話したりすることだけではないので、こういう現象が起きるのです。ただし、注意していただきたいのは、これが自分の一方的な思い込みである場合も多いということです。

たとえば、自分の好きな人が夢に出てきてくれたから、相手も自分のことが好きだとは限りません。ただなんとなく気にしているだけかもしれないし、もしかすると「しつこいな」と嫌がっている可能性もあるでしょう。

あるいは、未浄化な霊が、執着心に目をつけて寄ってきて、そういう夢を見させているのかもしれません。

どんな夢の場合もそうですが、見る人の人格が高くなければ、その夢はアテにはできないのです。思い込みが強い人はとくに、夢を自分に都合よく解釈したり、間違った受けとり方をして不安になったりしやすいので、その点は気をつけてください。

ガイド・スピリットが必ず答えてくれる祈り方

本当に夢から正しくメッセージを受けとりたいのであれば、まずパート2で書いたように、きちんと掃除された部屋で、豊かな食事をし、ていねいに入浴して心身ともに清め、しっかり休めておくこと、そして正しくメディテーションをして、ガイド・スピリットに対して祈ることです。

そのとき、「あの人の心を教えてください」とか「お金持ちになれるヒントを授けてください」などという現世利益的なことをお願いしてもダメです。「私のたましいがより豊かに高くなるために、今、必要なことは何ですか」「今の自分のあり方は間違っていますか」、そんなふうに問いかけないと、ガイド・スピリットは答えてはくれないでしょう。

くり返しますが、夢とは自分自身を振り返り、より豊かな生き方をするための、きっかけのひとつにするべきものなのです。

こんな夢を見るときは、要注意です

追いかけられる夢ばかりを見るとき

誰かに追いかけられたり、怪物と闘ったりする夢ばかり見るとき、それは現実にストレスの多い生活をしている場合もありますが、同時に、たましいのレベルがかなり下がってきているということへの警告です。

悪夢をよく見るとき、まず日常を振り返ってみましょう。

たとえば、朝「おはよう」のあいさつもできない、部屋の掃除もしない、仕事もまともにこなせない、人とケンカばかりしている。それでは高い波長は出せません。当然、夢で癒されることもないのです。

厳しい目で自分を見つめ直してみてください。

人に嫉妬したり、妬んだりしていませんか？

仕事で怠けていませんか？

悪口ばかりいっていませんか？

自分を過大評価して傲慢になっていませんか？

反対に過小評価して、自分をけなしてばかりいませんか？

何かを学ぼうとする気持ちを忘れていませんか？

嫉妬心、怠け心、悪口、傲慢、自己卑下、無知は、あなたの人格をもっとも低めるものです。気をつけましょう。悪口の中には、自分をけなすことも含まれます。自分を過大評価してはいけないけれど、過小評価もしてはいけません。

もし「私なんかダメ」などといってしまったときは、必ず「ダメじゃない」と言い直すことです。それが、いつもあなたを見守ってくれるスピリットに対する礼儀です。

この世に生を受けた人間は、みんな同じ。単独でポツンと生まれてきた人などいません。それぞれにつながるグループ・ソウルがあり、使命を抱いてこの世に生まれてきたのです。

みんなグレート・スピリット（神）につながる、ひとつながりのたましいだと考えれば、自他ともにけなすことがいかに間違ったことかがわかるでしょう。

夢はあなたの「スピリットの波長」を正直に映し出します

これまでの著書の中でもくり返し書いてきたことですが、まず日々の自分の「思い」「言葉」「行為」に気をつけましょう。

人を思いやり、愛すること。そして、許す心、寛大な心を持つようにすることです。

それによって波長が上がり、悪い夢も見なくなるでしょう。

自分の人生が上向きで、余裕があるときなら、人にやさしくすることは、比較的簡単です。うまくいっているときに「いい人」でいることは、難しいことではありません。けれど、人生はアップダウンが激しいものです。今まではよかったのに、このところ下り坂ばかり、何をやってもうまくいかない、ということは必ずあります。

そんなときでも人にやさしくできるかどうか。そこが分かれ目なのです。

自分の人生がうまくいっていないときに、イライラして人に八つ当たりしたり、妬んだりせず、人の喜びをともに喜ぶことができるかどうか。それを試されているのです。

ですから、不遇なとき、不運なときほど、人格を高めるチャンスだといえるでしょう。私たちは、そうやって自分のたましいを磨くために、この世に生まれてきているのです。ですから、常に自分のたましいのあり方を冷静に見つめることが必要です。

このことを理解しても、実行できる人はなかなかいません。

私たちはひとりひとりが落ちこぼれの天使です。

いろいろな経験をし、つらいことも楽しいことも、すべての感動を味わうために生まれてきているのです。

ですから、すぐに実行できなくても焦る必要はまったくありません。少しずつ自分を変えていけばいいのです。

たとえば、パート2で書いたようなヒーリングの方法は、あくまでも「たましいのサプリメント」のようなもの。それだけに頼ってしまってはいけません。自分自身で感動し、心を磨いていく必要があるのです。つい低いほうに流れそうになる自分自身と闘い、今の自分のあり方、生き方をより成熟させるよう、自分を律していくことが必要です。

そのためのヒントは、拙著『幸運を引きよせるスピリチュアル・ブック』『スピリチュアル生活12カ月』『〝幸運〟と〝自分〟をつなぐスピリチュアルセルフ・カウンセリング』（以上、三笠書房《王様文庫》）で、わかりやすく記してきました。ぜひ読み返してみてください。

本当の自分の姿、自分がこの世に生まれてきた意味、人生の真理、それらを理解することが、大人になるということです。

そんな大人の感性を持てたとき、はじめて夢はスピリチュアルな意味を帯びてきます。そのメッセージを正しく読みとることもできるようになるのです。

夢を利用してメッセージを受けとる方法

夢を通してガイド・スピリットがメッセージを与えてくれることは確かにあります。本当にせっぱ詰まったとき、絶体絶命になって、「どうしても答えが欲しい」と心の底から強く願うとき、夢は実に的確にメッセージを伝えてくれます。遊び半分な気持ちでは、メッセージを受けとることはできないでしょう。

それは、スピリチュアル・ワールドが基本的に私たちの主体性を重視してくれているということの証です。何かを勉強しているときに、家庭教師が横から答えを教えてしまっては、何の意味もありません。自分で考えるからこそ、身になるのです。

ただ、私たちが本当に行き詰まったときは、必ずガイド・スピリットがメッセージを伝えてくれます。

私たちは、いいときも悪いときも、常に見守られているのです。

決断に迷っているとき

「目の前にふたつの道がある。どちらを選べばいいんだろう」というとき、その決断をする前に、誰かにヒントをもらいたくなります。ガイド・スピリットからのメッセージを受けたいと強く思うかもしれません。

そのとき、まずしなければならないことは、自分で内観やメディテーションを行なって、自分なりの答えを出すことです。自分で悩んで考えて「こうしよう」と決めてみるのです。

自分の力で答えを出したうえで、「私の選択は正しいでしょうか」と、眠る前に問いかけてみましょう。自分で決断するのが怖くて、ただラクをするためにガイド・スピリットの声を聞こうとしても、メッセージは送られてこないでしょう。

また、問いかけるときに、「我」が入ってはいけません。素直に「私の選択は正しいでしょうか」という気持ちでたずねることが大切です。

「本当はこっちに行きたいんだけど、よくないことをいわれたらいやだな」という気持ちではいけません。何をいわれてもきちんと冷静に聞きとろうとする心の準備をしてください。

「すべてを受け入れます。私に誤りがあればお示しください」と祈りましょう。

自分以外の人のこと、たとえば両親のことなどをたずねたりするのは、我が入らないので、伝わりやすいでしょう。

また、前向きで謙虚な態度でいることも必要です。

たとえば、結婚を迷っているとき、「この結婚話は本当に光栄なことです。けれど、私のような者でもいいのでしょうか」という気持ちで、たずねましょう。

「A君とB君、どっちがいいですか」というような悩みに、ガイド・スピリットが答えてくれることはありません。

真剣な気持ちで祈りながら眠ると、夢の中で、答えとおぼしき現象が起こります。

はっきりとメッセージとして示される場合もあれば、あるシチュエーションの中に自分がいるという形で示されることもあります。

たとえば進路で悩んでいるときに、希望する職についている、という夢を見たとすれば、それは、ガイド・スピリットからの答えでしょう。

あるいは、誰かが自分のことを話しているのを、自分はそばで聞いているという夢もあります。「あの人、こういうこと考えてるけど、それはしないほうがいいわよね」という話をしているのを、自分がそばで聞いていて「まるで自分のことをいわれているみたい」と感じるような夢です。

こういう夢は、だいたい明け方の浅い眠りのときに見ます。オールカラーになっているのが特徴です。

夢でメッセージを受けとったら、今度はその現象を自分でしっかりと分析しなくてはいけません。自分はどう思うか、どう判断するか。そこでも、自分に都合のいい解釈をしないよう、自分を厳しく見つめることが大切なのです。

漠然と何かが不安なとき

人はみんな、心の中に何かしら漠然とした不安を抱えて生きています。

順調なときは忘れていても、何かものごとが滞ったりすると、不安が思い起こされ、その思いが強くなるのです。

なぜ漠然とした不安感がぬぐえないのでしょうか。

それは、私たちがこの世に生まれてきた意味や、私たちは常に見守られている存在であるという真理を忘れてしまっているからです。

眠っている間、私たちはスピリチュアル・ワールドに戻り、その英知に触れることで、また現世を生きていくエネルギーを充填させることができます。

それができていないとき、漠然とした不安感が強くなるのです。

そんなときは「しっかりと里帰りができますように」「たましいの英知を思い出させてください」と祈って眠りにつきましょう。

すると、少しずつ自然に眠りの質が高まります。寝つきがわるかったり目覚めがつらかったりするようなこともなくなるはずです。

あるいは、夢の中ではっきりと別の世界へ行って、そこで励まされたりするでしょう。そうやって目が覚めると、自然な安心感に包まれて、生きていけるようになるはずです。

好きな人の心を知りたいとき

好きな人の心を夢で知ることができたら……。

そう思ってしまう気持ちはわかります。実際に告白して振られたりすると、自分が痛い思いをするからです。けれど、厳しいようですが、そんな後ろ向きな考え方でいるとき、夢がメッセージを伝えてくれることはありません。

好きな人の心は、自分で頑張って努力して、知るしかないのです。たとえそれで傷ついたとしても、それはたましいが削られただけのこと。より深く輝くためのステップです。それを怠ったまま、夢を利用しようとしても、ガイド・スピリットは黙っています。簡単に答えを得ることは、あなたのためにならないからです。

ただ、「しばらく会っていない親友は、今頃どうしてるだろう」「遠くに引っ越していったあの人は、元気かな」というように、気になる人の近況を知りたいとき、夢で教えてもらうことはできます。

眠る前に相手のことを一生懸命に思い浮かべ、「近況を知らせてください」と祈りましょう。すると、眠っている間に相手の今の状況を感じることがあります。寝ている間は、どんな人も、たましいが肉体から離れています。そのとき、あなたのたましい（波長）と相手のたましい（波長）が結びつくことがあるからです。

もっとも、そう簡単にいくわけではありません。

まず、ふたりの波長が出会うためには、こちらが眠っているときに相手も眠っていなければなりません。また、相手もこちらを気にかけていて、眠る前に「どうしてるかな」と思ってくれていることが必要です。こちらが一方的に心配しているだけでは、出会うことができません。

多少の「時差」はあっても、「A子ちゃん、今どうしているかな」「そういえば、B子ちゃんは元気かしら」という、お互いの思いがあればいいのです。

仕事がうまくいっていないとき

仕事の成果が出ない、上司とうまくいかない、仕事そのものが好きになれない。

そんな仕事の悩みがあるときや、歯車がうまく回っていないな、と感じるときこそ、睡眠を大切にしましょう。たましいが「里帰り」をして、そこで作戦を授けてもらえる場合もあるからです。悩んでいるときは、睡眠も浅くなりがちですが、それではますます解決から遠ざかります。できるだけ熟睡できるよう、環境を整え、心を落ち着けて眠ってください。

もちろん、そこでインスタントに答えを授かることはありません。

私たちの人生は私たちの学びの場であるからです。スピリチュアル・ワールドにすべてを依存することはできないのです。

けれど、いざというときに、私たちが見捨てられることは決してありません。必ず知恵を授けてもらえます。私たちは困ったときしかガイド・スピリットのことを考えませんが、ガイド・スピリットは、どんなときも私たちを見守っていてくれるのです。それを信じて、安心していればいいのです。

そして、感謝の心を忘れないことも大切です。今、ここにこうして生かされているということ、うまくいかないことが多少あっても、それは自分を鍛え、学ばせようとする愛なのだということに、いつも感謝してください。困難や障害があるからこそ、人生は輝くのです。それは、あなたが愛されているという証拠なのです。

心と体をリラックスさせ、幸運体質になるための眠り方

睡眠時間は、スピリチュアルなエネルギーを充塡するための時間

私たちは、食べなくても、ある程度なら生きていけます。

しかし、まったく眠らないと生きていけません。それほど睡眠は大切です。決しておろそかにしないでください。

眠っている間、たましいは肉体から離れて、スピリチュアル・ワールドに行きます。そこでスピリチュアル・エネルギーをもらって帰ってくるのです。肉体の栄養は食物から得ますが、スピリチュアルな栄養は、睡眠によって得られるのです。

人生の転換期においては、不思議と眠くてたまらなくなる場合があります。それは、「あなたの人生がこれから変わりますよ」というメッセージです。新しく出会いがあ

るかもしれないし、環境が変化したり、新たな仕事に恵まれるかもしれません。好転していくことが多く、悪くなるということはありません。

そんなとき私たちは、睡眠中にスピリチュアル・ワールドに行き、さまざまなアドバイスを授かっているのです。自覚はありませんが、たましいは十分にそれを覚えています。

たましいと肉体のバランスがとりやすいのは6時間睡眠

では、スピリチュアルなエネルギーをたっぷりと充塡したり、メッセージを受けとったりするためには、どんな眠り方をすればいいのでしょうか。

まず、眠りにつく時間ですが、できれば夜の12時よりも前に眠りましょう。丑三《うしみ》つどき（午前2時〜2時半）の時間に一番深い眠りがくるようにするのです。その時間帯に、スピリチュアル・ワールドの門が開くと考えられています。

スピリチュアルなエネルギーをしっかり得るには、体質にもよりますが、6時間睡眠が最適です。それより短いと、エネルギーが十分に補給されません。

3時間、4時間の睡眠が続くと、たましいと肉体に不調和が生じ、パワーが衰えて健康を損ねたり、ここ一番というときに力が出なかったりします。

休日に寝だめをしても、あまり意味はありません。ふだんの睡眠が足りない場合、体を休めるという意味ではいいかもしれませんが、スピリチュアルな意味はありません。昼寝をしたり、時間の隙間を見つけて眠るのも同じことです。

6時間より長く、たとえば8時間眠ってもいいのですが、寝すぎると、かえってだるくなって、体が動かなくなる場合もあるでしょう。

6時間睡眠こそ、スピリチュアルなエネルギーがもっとも充実し、人生を無駄にしない眠り方なのです。イギリスのスピリチュアル・トレーナー（スピリチュアルな力をトレーニングする人）は、生徒全員に6時間睡眠をさせているぐらいです。

たとえば夜11時に寝て、朝5時に起きれば、出勤するまでの間に資格をとる勉強などをすることもできるでしょう。人生を有意義に、無駄なく使えるようになるのです。

受験生も早起きして勉強するほうが、一番いいエネルギーを使えるので、能率があがるでしょう。

ガイド・スピリットからメッセージを得たいなら

ガイド・スピリットからメッセージを受けとりたいと願っている場合には、8時間ぐらいの睡眠が必要です。

6時間の深い睡眠のあと、うつらうつらと浅い眠りになります。このときに出る脳波は、どんな人でも霊能者の脳波に近くなります。メッセージを受けとりやすくなるのです。眠りの浅い朝方にスピリチュアル・ドリームを見やすいのは、このためです。

私が霊能の世界に入るきっかけになった夢も、明け方に見ました。

前日、なぜかとても眠くて、早い時間に眠りについたのです。

夢の中では、シャボン玉がフワフワ浮いていました。その中に、人がたくさん入っていて、動きまわっているのです。人といっても、白いシルエットです。その中の一点から、スーッと人の姿があらわれました。お地蔵さんのようです。私の前でピタッと止まり、声が聞こえてきました。

「お前はこの人々を見たか。この人たちのたましいをいかに導くか、それがお前の生まれてきた役目だぞ」

そういうと、お地蔵様は、スーッと消えていったのです。

それが、私のガイド・スピリットであるマサキヨさんとのはじめての出会いでした。

私が18歳のときのことです。

そのときは「今のは何だろう」と不思議に思ったものの、すぐに「そうか、自分の生きる道はこれなんだな」というような答えは出たわけではありませんでした。

わかったのは、それから1年も2年も経ってからです。けれどあの夢こそが、私の生き方の根本を形づくるメッセージでした。

スムーズに睡眠に入るために何をすればいい？

眠る前には、ゆったりとした音楽を聴きましょう。

自分が眠っているときの呼吸を想定して、それと同じぐらいのテンポの曲が一番です。速すぎるテンポの曲や、ロックなどの激しい音楽はよくありません。

また、ヘッドフォンをして、音楽を聴きながら寝る人もいるようですが、それはやめましょう。音によって波長を乱され、深い眠りが邪魔されてしまいます。たとえ肉体は休めても、たましいは休めません。

たましいが休めないと、スピリチュアル・ワールドに行ってエネルギーをもらうことができませんから、寝ていないのと同じことです。

せっかくスピリチュアル・ワールドにたどり着いても、大きな音で覚醒させられるので、たましいに大きなショックが走ります。寝ているときに「火事だ！」と起こされるようなもの。肉体にも影響してくるでしょう。

静かな音楽をかけるだけにして、音楽が終わったときには、眠りに入っているぐらいがベストです。

心からリラックスできる、スピリチュアルな睡眠環境のつくり方

眠っている間、たましいがスムーズにスピリチュアルな世界に行けるよう、睡眠環境を整えることも大切です。基本的に、肉体があることを忘れさせてくれるような、

刺激の少ない環境がいいのです。

★照明★

まず、寝室の照明は消しましょう。

光もまた、スピリチュアル・ワールドに行こうとしているたましいの足をひっぱります。街灯など外から光が入ってくるときは、カーテンで光を遮るようにしてください。遮光カーテンを利用してもいいでしょう。

★寝具★

寝具は、ベッドでも布団でも、好みでどちらでもいいのですが、私のおすすめはウォーターベッドです。ウォーターベッドだと、本当に自分の肉体を忘れてしまうような体勢で眠れるので、たましいが非常に気持ちよくスピリチュアル・ワールドに行くことができます。

布団に入って、すぐに眠れなくても、焦る必要はありません。

布団に入った直後は体温と寝具の温度に差があって、これが睡眠の足をひっぱります。しばらくすると体温とほぼ同じ温度になりますから、その頃には気持ちのいい眠りに入っているはずです。熱すぎても、寒すぎてもいけません。

自分に合う枕を使うのも大切なことです。

枕が合わないと、眠っていても自分の頭や肩を意識させられてしまいます。痛みが出たりして、それが睡眠を妨げるのです。

私は、ふだんは枕を使いません。やわらかい生地のバスタオルを、首と頭のくぼみの高さに合わせてクルクルまるめたものを、首の下に入れるだけです。こうすると、首、頭、肩を意識しないですみます。肩こりもなくなります。自分にピッタリ合うようにタオルを縛っておけば、毎晩、巻かずにすみますし、洗いたいときはすぐに洗えて、とても便利です。

★寝室★

寝室の広さは、四畳半ぐらいがベストです。できれば寝室専用にして、ベッド以外には観葉植物を置く程度にするといいでしょう。広すぎる寝室は、よくないのです。

西洋では、ベッドに天蓋をつけたりしますが、あれも一番落ち着ける自分だけのヒーリング・スペースをつくるという意味があるのです。実際、公園で寝そべって熟睡することは、なかなかできません。空間が広すぎると、眠りにくくなるのです。

★枕の位置★

眠るときに、どの方角に頭を向けるのがいいかというと、実は北枕がベストです。昔、北枕が嫌われていたのは、日本家屋はすきま風が入るので、北枕だと、北風が布団の中に入り、体を冷やすからです。死人を北枕にするのは、腐敗を防ぐ意味があったのです。

北は、スピリチュアルな尊いエネルギーが来る方位です。ですから、神棚は北を背にして南を向けて置くのが正式です。スピリチュアルなエネルギーを得たいと思うなら、北枕がいいでしょう。

また、眠る直前にものを食べると、消化するために胃が働くので、それが睡眠を妨げます。できれば、寝る3時間前ぐらいは、何も食べないほうがいいでしょう。満腹で眠るよりも、少し空腹ぐらいのほうがいいのです。あまりお腹がすきすぎていても眠れませんから、そういう場合はホットミルクなどを飲むといいでしょう。

★眠る姿勢★

眠る姿勢で一番いいのは、仰向けです。

なぜなら、これが一番、たましいが肉体を離れていきやすい姿勢だからです。仰向けだと眠れないという人は、自分の健康状態を見直したほうがいいでしょう。健康な人は、大の字になって、仰向けに寝ています。

寝相が悪いのは、気にする必要はありません。肉体と幽体のつなぎ目は、おへそや額など、何カ所かありますが、それ以外にも、もっと薄い、幽体と肉体とが重なっている線があるのです。寝ている間に体を動かして、その部分を調整しているのです。子どもの寝相が悪いのは、大人よりもさらに調整する必要があるからです。

ともかく基本は「肉体を忘れさせる睡眠」です。それを意識して、眠りの環境を整えてみてください。

あなたが「本当に癒される」ために覚えておいてほしいこと

私たちの誰もがスピリチュアル・エナジーを持っています

ガイド・スピリットからの大切なメッセージは、眠りの環境を整えれば得られるのかというと、そう簡単にはいきません。睡眠環境を整えることは、スピリチュアル・ドリームを見るためのほんの一要素です。

本当に必要なのは、あなたのたましいが五感を超えたスピリチュアルな世界に対して、開かれているかどうか、ということです。

まったく閉じている人はいません。スピリチュアル・エナジー、すなわち霊能力を持っていない人はこの世にいないのです。ただ、そのパーセンテージに多い少ないはあります。霊能者と呼ばれる人なら、少なくとも60～70％は能力が開かれています。

それでも100％はありえません。100％開いてしまうと、スピリチュアル・ワールドがすべてわかるということですから、スピリチュアル・ワールドの人になってしまいます。

一般的には、1％の人もいるでしょうし、30％の人もいるでしょう。それは実にさまざまです。でも、まったく開いていない人はいません。なぜなら、見守られていないたましいはないからです。

このパーセンテージは、どういう生き方をするかによって、かなり変わってきます。赤ちゃんはスピリチュアル・エナジーがとても強いのです。赤ちゃんが仏壇のほうを見てニコニコしたりすることがありますが、そういうときはスピリチュアル・ワールドの人が見えているのです。向こうからきたばかりだから、見えるのです。

それが成長するにしたがって、見えなくなってきます。

私たちは自分自身の人生を自由にコーディネートできる

幼い子どもが天才的な絵を描いていたのに、大きくなるにつれて、空は青、太陽は赤、などという固定観念を身につけてしまい、平凡な絵しか描けなくなるのと同じです。成長して、物質的なこと、現世利益的なことばかりを考えるようになると、スピリチュアルな力は失われていくのです。

たとえば、「あの人を振り向かせたい」「お金持ちの男性と結婚したい」というようなことで頭がいっぱいだと、スピリチュアル・エナジーはどんどん封じ込められてしまいます。

そのことに気づき、自分を内観していくと、再びこの力はよみがえります。

自分で自分のたましいを探り、たましいの声に耳を傾ける。五感以外の感性を信じ、自分が見守られている存在であることを信じる。そういう感性を持つことで、スピリチュアル・エナジーは開かれていくのです。

そのためにも、先ほどお話しした夢日記をつけることは大きな助けになります。見えない世界からのメッセージを聞こうとする姿勢があれば、おのずと開かれていくのです。

ただし、スピリチュアルな感性を高めていたとしても、強いメッセージ性のある夢はそう何度も見られません。そういう夢は、人生が切り替わるような大きな節目にだけあらわれるのです。

なぜなら、私たちはスピリチュアル・ワールドのあやつり人形ではないからです。主体はあくまで私たち自身です。自由に生きて、運命を切り開いていけばいいのです。人の一生がガイド・スピリットやスピリチュアル・ワールドからのメッセージで仕切られているなら、生まれてくる意味がありません。

この世で悩んだり苦しんだりしながら、試行錯誤して、自分の本当の姿を見つめること、本当の愛とは何かを学ぶこと、そういう気づきが大切なのです。

そのためには、現世利益だけを求めていてはいけません。お金や家、車、カッコいい恋人など物質的なものは、いわば子どものおもちゃです。大人の感性を持てば、そういうおもちゃは必要ではなくなります。

たましいのレベルが上がった分だけ、人生の視界も広がります

たましいが大人になれば、本当に自分に必要なものが見えてくるようになるのです。高い次元のたましいを持つ人は、自分から苦難を求めていきます。ですから、苦労が多いのです。それも、「身から出たサビ」のような苦労ではありません。

上司とケンカをして会社をやめて失業したというような苦労は、本当の苦労ではありません。不倫がばれて離婚して、愛人とも別れて孤独になった、などの苦労も同じです。もちろん、そういう苦労の中で、自分に必要なものを学んでいければ、それはそれで豊かな人生になるでしょう。

でも、ここでお話ししている苦労とは、今の自分が越せないぐらい高いハードルを設定して、それを跳び越えていこうとすること。あえて試練を課し、高い理想を求めていくことです。

たとえば、「自分の親を引きとって面倒を見よう」「夫の親を介護しよう」などと決意すること。何かのボランティアを始めることもそうです。本当は面倒でも、思い切って挑戦してみることです。そこで苦労はするでしょう。でも、たましいは確実にステップアップします。そういう苦労が本物の苦労です。

それは自分個人の幸福や利益だけを考えている行為ではないからです。個人の利益を超えて、他者の幸せを願う行為であり、自分は苦労しても、世の中を変えていきたいと願う気持ちです。そうなったとき、たましいの波長は高くなります。

たましいが大人になると、現世利益ではなく、そういう苦労を求めるようになるのです。子どものうちは、個人の幸福や現世利益を求めます。それはそれで無理のないこと。幼稚園の子には幼稚園の子なりの勉強があります。いきなり大学生の勉強をしろといっても無理なのです。

心を静かにしてスピリチュアル・ワールドからの声に耳をすませましょう
――あなたに必ず答えは与えられるのです

くり返しますが、私たちの最終的な目的は、たましいが大人になることです。

なぜなら、個人だけの幸せ、というものはないからです。たとえば、国が戦争を始めたら、誰が幸せになれるでしょうか。世の中が殺伐として不景気なのに、「私だけが幸せ」などということは、ありえないのです。

他者の幸せ、世界中の平和、人類全体、さらにいえば霊的世界全体の向上がないと、個人の幸せはありません。みんなお互いにかかわりあって生きています。

この世に生を受けた人はすべて、神に近づくという大きな目標に向かって切磋琢磨《せっさたくま》するスピリット（たましい）の存在なのです。たったひとりで孤独に生きている人などいません。そのことに気がつくと、物質的なものに対する欲は薄くなります。むしろ、人々が愛に満ちて和合し、世の中のすべての人が幸せであるようにという気持ちになっていきます。そこまできて、はじめてスピリチュアルな事象も理解できるようになるのです。

仕事、病気、恋愛、結婚、人間関係、みんなストレスいっぱいの生活で、癒されたいと思っています。癒しが一種のブームになっています。さまざまなグッズやテクニックを使って、心身を休めるのも確かにいいことです。けれど、それだけでは同じことのくり返し。すぐにまた疲れてしまうでしょう。

本当に癒されるために必要なことは、自らが光に近づいていくことです。

自らがより高いたましいになるということ。大人の感性を持ち、他者の幸せを願い、世の中全体の幸福を願うことです。

感性を高めて、スピリチュアル・ワールドからのメッセージに耳をすませてください。

自分自身を変えようと努力してください。この世に生まれた究極の目標はそこにあります。それができたときはじめて、本当の安らぎが与えられるのです。　　(了)

本書は、本文庫のために書き下ろされたものです。

幸運《こううん》を呼《よ》ぶ「たましいのサプリメント」

スピリチュアル セルフ・ヒーリング

著者　江原啓之（えはら・ひろゆき）

発行者　押鐘冨士雄

発行所　株式会社三笠書房

〒112-0004 東京都文京区後楽1-4-14

電話　03-3814-1161（営業部）03-3814-1181（編集部）

振替　00130-8-22096　http://www.mikasashobo.co.jp

印刷　誠宏印刷

製本　宮田製本

ISBN4-8379-6201-7　C0130

王様文庫

王様文庫・特別付録

夜、眠る前に聴く スピリチュアルCD

Contents

（※ご覧になる前に必ず、256ページの説明をお読みください。）

語り・歌……江原啓之

ピアノ演奏……寺田裕子

（大泉学園ゆめりあホールにて収録・撮影）

音声収録……爽美録音株式会社

VTR撮影……株式会社 東京ビデオ

特別付録

夜、眠る前に聴くスピリチュアルCDについて

このCDの内部には音声CDの他に、MPEG1ファイルが保存されています。
それぞれの内容は、次の通りです。

①音声CD部分…………江原啓之の語りと歌
②MPEG1ファイル……映像(「収録風景」と「鎮魂法」)

CDプレーヤーをご使用の場合

通常の音楽CDと同様の操作で①のみをお聴きになることができます。

パソコンをご使用の場合

再生ソフト＊を使って②のMPEG1ファイルを開くことができます。
ドライブにCDをセットすると、MPEG1ファイルが2つ収録されたウィンドウが自動的に開きます。ご覧になりたいファイルをダブルクリックすると再生が始まります。

(パソコンで①の音声CD部分をお聴きになることもできます。画面上にはアイコンが表われませんが、CDプレーヤーの機能を立ち上げると、自動的に認識されて再生できるようになります。)

画面上にウィンドウが開かない時は

(Win)「マイコンピュータ」→「SpiritualCD」をダブルクリックして下さい。

(Mac) デスクトップ上の「SpiritualCD」をダブルクリックして開いて下さい。
特にOSXでは自動で開きません。

[Macintoshのパソコンをご使用の場合、画面上にCD-ROM自体のアイコンの他に、音符のついたアイコンが表示されることがあります。その場合、CD-ROMを取り出す際には2つのアイコンを両方ゴミ箱に捨てないと出てきませんので、ご注意下さい。]

＊MPEG1ファイルの再生には、MPEG1に対応したソフト――Windowsでは「Media Player」等、Macintoshでは「Quick Time Player」等が必要です。これらは下記のサイトから最新版がダウンロードできます。

- Windows　Media Player
  http://www.microsoft.com/japan/download.htm
- Macintosh　Quick Time Player
  http://www.apple.co.jp/quicktime/

ご注意下さい!

★パソコンのCD-ROMドライブがスロットイン(吸い込み)タイプの場合、8cmCDが入らない場合があります。またパソコンの筐体が「立置き・横置き」両用タイプの場合、立置きしたままでは、中央にCD装着用の丸い突起がないと、CDが滑り落ちてしまいます。横置きにしてお使い下さい。

★8cmCDの取り扱いにつきましては、お持ちのCDプレーヤー、パソコンの取り扱い説明書をお読みになって下さい。
別売りのアダプター等が必要な場合があります。

★本CDを利用して何らかのトラブルが生じたとしても出版社・著者は一切の責任を負いません。あらかじめご了承下さい。

★本CDについてお電話によるお問い合わせには一切お答えできません。